纽伯瑞国际大奖小说集

草原上的小木屋

Little House on the Prairie

[美]罗拉·英格斯·怀德/著　　青鸟/译

山东科学技术出版社

·济南·

图书在版编目（CIP）数据

草原上的小木屋 / (美) 罗拉 · 英格斯 · 怀德著；青鸟译. -- 济南：山东科学技术出版社，2018.3（2024.5 重印）

（纽伯瑞国际大奖小说集）

ISBN 978-7-5331-9163-4

Ⅰ. ①草… Ⅱ. ①罗… ②青… Ⅲ. ①儿童小说 – 长篇小说 – 美国 – 现代 Ⅳ. ① I712.84

中国版本图书馆 CIP 数据核字 (2017) 第 300012 号

纽伯瑞国际大奖小说集
草原上的小木屋

NIUBORUI GUOJI DAJIANG XIAOSHUO JI
CAOYUAN SHANG DE XIAOMUWU

责任编辑：董小眉
装帧设计：艺唐广告

主管单位：山东出版传媒股份有限公司
出 版 者：山东科学技术出版社
地址：济南市市中区舜耕路 517 号
邮编：250003 电话：（0531）82098088
网址：www.lkj.com.cn
电子邮件：sdkj@sdcbcm.com
发 行 者：山东科学技术出版社
地址：济南市市中区舜耕路 517 号
邮编：250003 电话：（0531）82098067
印 刷 者：湖北鑫光印务股份有限公司
地址：湖北省云梦经济开发区三湖大道 13 号
邮编：430070 电话：（0712）4084888

规格： 16 开（155 mm × 220 mm）
印张： 10 **字数：** 200 千
版次： 2018 年 3 月第 1 版 **印次：** 2024 年 5 月第 3 次印刷
定价： 19.80 元

前 言

纽伯瑞儿童文学奖简称纽伯瑞奖，该奖项是由美国儿童图书馆服务协会 (Association for Library Service to Children ，ALSC) 为纪念英国儿童文学作家和出版家——纽伯瑞而设立的。

纽伯瑞出生于 1713 年，他出版了世界上第一本儿童书——《美丽小书》，开办了世界上第一家专门的儿童图书印刷厂、世界上第一家专门的儿童书店。他出版发行的儿童文学书籍深受孩子们的喜欢，他由此开辟出了一条英美儿童文学之路，因此后世称之为“儿童文学之父”。

以纽伯瑞命名的纽伯瑞奖，1922 年创办，每年评选和颁发一次，奖励前一个年度出版的优秀英语儿童文学作品，一直延续至今。纽伯瑞奖历史悠久，对美国乃至世界的儿童文学都影响深远。该奖项获奖要求之严格，获奖作品水准之高超，均是有目共睹、众所周知的。纽伯瑞奖获奖作品题材广博，不仅针对儿童的各种心理，诸如恐惧、忧愁、悲伤等做出开解，还蕴含了对全人类和大自然悲天悯人的关怀。因此历年来获得纽伯瑞奖的优秀作品，被每个美国家庭收藏，成为每个美国青少年的必读书目。

正因为纽伯瑞奖的权威性和经典性，我们特从获奖作品中选取了八本历年来畅销不衰、深受小读者们喜爱的作品，旨在帮助更多的青少年阅读到经典的优秀儿童文学作品，从中感悟到人性的光芒和力量。

该八本经典文学作品分别是《彩虹鸽》《牧牛小马斯摩奇》《胡桃木小姐》《草原上的小木屋》《吹号手的诺言》《杜立德医生航海记》《木头娃娃历险记》和《兔子坡》。

其中，《彩虹鸽》讲述了一只脖颈处有着彩虹一样绚丽颜色的鸽子充满传奇的一生，处处流露出作者对生命和大自然的关爱；《牧牛小马斯摩奇》则讲述了一匹名叫斯摩奇的野马跌宕起伏的一生，从性格开朗到暴虐，之后变得逆来顺受，最后再次被主人的关爱激活，重新找回快乐，该书悬念迭出的故事情节定会让青少年爱不释手；《杜立德医生航海记》讲述了精通动物语言的杜立德医生传奇的航海故事，该书想象力丰富，故事情节跌宕起伏，一直备受青少年喜爱……

该八本书每一本都精彩纷呈，不再一一赘述。期待小读者们能自己拿起这套书，亲自去发现里面的丰富和传奇；也盼望着这套书能成为小读者们人生路上的启发者，帮助小读者们拥有向上和向善的力量！

纽伯瑞国际大奖小说集

目录

第一章

到西部大草原去

在很久以前，当今天的老爷爷老奶奶们还是小孩子，甚至他们可能还没出生的时候，玛丽、萝拉和小嘉丽就跟着爸爸、妈妈离开了威斯康星大森林里的小木屋，他们要到印第安人居住的地方去。因为森林里的人越来越多，爸爸不喜欢待在人多的地方，他喜欢大自然，喜欢看小鹿们在树丛中好奇地打量着他，喜欢看慵懒的大胖熊吃野草莓的样子。

在漫长的冬夜，爸爸和妈妈时常谈起西部的大草原。爸爸说那一望无际的大草原就像个大牧场，各种动物在那里自由自在地四处游荡和觅食，那里只有印第安人居住。

冬天快要过去了，有一天爸爸对妈妈说："既然你也同意，我们就到西部去吧。把我们的小木屋卖掉，在西部重新安家。”

“噢，查尔斯，我们现在就要走吗?”妈妈有点舍不得这里。“是的。”爸爸说，“等到密西西比河的冰一融化，我们就过不了河了。”于是爸爸卖了小木屋，也卖了母牛和小牛。他把山核桃树枝弄弯，绑在马车上，做成篷车的骨架，妈妈将白色帆布蒙在骨架上，一辆坚固、漂亮的篷车就做好了。

第二天天还没亮，妈妈就叫醒了玛丽和萝拉，帮她们洗脸、梳头，然后给她们穿上暖和的衣服，戴上兔皮帽和红色的毛线手套。

除了床和桌椅，小木屋里的东西几乎都装上了篷车。地上有一层薄薄的积雪，外面又黑又冷，四周静悄悄的。透过光秃秃的树枝，可以看到天上稀疏的寒星，东方已隐约开始泛白。在昏暗的树林中，有几盏灯笼离他们越来越近，那是爷爷奶奶、叔叔婶婶和堂兄妹们为他们送行来了。

玛丽和萝拉抱着她们的布娃娃，一声不吭地站在那儿。堂兄妹们围在她们周围，奶奶和几个婶婶一遍又一遍地拥抱和亲吻她们，依依不舍地向她们道别。

叔叔们帮爸爸把马套上篷车，堂兄妹们一个个走上前来跟玛丽和萝拉道别。爸爸把玛丽和萝拉抱上车，把她们安顿在篷车后面的床铺上。接着，他又把妈妈扶上篷车的车座上。奶奶走上前来，把小嘉丽递给妈妈抱好。爸爸随后也跳上车，坐在妈妈身边，斗牛犬杰克在篷车旁边跑来跑去。

他们就这样告别了小木屋。小木屋静静地矗立在两棵高大的橡树后面，周围围着一圈木栅栏，窗户紧闭着。夏天的时候，玛丽和萝拉喜欢在木屋前的大橡树下玩耍，那是大森林里的小木屋留给她们的美丽记忆。爸爸告诉萝拉，等到了西部以后，她们就可以看到“帕普斯”。

“什么是‘帕普斯’呀？”萝拉问道。爸爸回答说：“‘帕普斯’是小小的、红褐色皮肤的印第安婴儿。”

篷车在树林里走了很久，终于到达了丕平镇。玛丽和萝拉以前来过这里一次，不过现在这儿看上去却不一样了。所有的商店都关着门窗，没有一个小孩在外面玩。爸爸敲开一家商店，用兽皮换了一些路上用的东西，他们不能在镇子里待得太久，因为他们必须在当天穿过丕平湖。宽阔的湖面上结了一层厚厚的冰，光滑而平坦，一直延伸到灰蒙蒙的天边。湖面上有不少马车走过的车辙，爸爸把篷车赶到了湖面上，沿着那些车辙一路行走。马蹄踏在冰面上，发出清脆的嘚嘚声；车轮碾过冰面，发出嘎吱嘎吱的声音。篷车周围是一片空旷寂静的世界，萝拉感到有点害怕，不过有爸爸、妈妈和玛丽在，杰克也跟随在旁边，就不用担心什么了。

篷车终于走到了湖对岸，这里也是一片树林，树林里也有一间小木屋。小木屋里没有人，他们正好可以在里边住一晚上。屋子很小，里面却有一个大壁炉，靠墙还有张简陋的床铺，爸爸给壁炉生了火，屋子里顿时暖和起来。那一晚，玛丽、萝拉、小嘉丽和妈妈挤在壁炉前的地板上睡，爸爸睡在篷车里，看护篷车和马匹。半夜里，萝拉被一种奇怪的声音惊醒了，听上去就像枪声。黑暗中传来妈妈轻柔的声音："睡吧，萝拉，那是破冰的声音。"

第二天醒来，爸爸说："幸亏我们昨天过了湖面，卡洛琳，说不定冰面今天就要开裂了。我们经过湖面时，冰面没裂开，可真是幸运。"

"我也是这么想的，查尔斯。"妈妈说。

萝拉听到这话，脸上露出害怕的表情，她想：如果全家都掉进冰冷的湖水里，那可怎么办啊！

"你吓着孩子啦，查尔斯。"妈妈说。

爸爸把萝拉抱在怀里。"我们就要跨过密西西比河了，小宝贝儿！"他快乐地抱紧萝拉说。

到西部的路还很远。几乎每天他们都要走到马走不动才停下来休息，他们几乎每天晚上都在一个新地方住宿。一路上，他们渡过了数不清的溪流，他们的篷车经过了数不清的木桥。有一天，他们来到一条浊浪翻滚的宽阔的大河边，河上没有桥，那就是密苏里河。爸爸把篷车赶到一个木筏上，全家人都坐在篷车里不敢动，木筏随着翻滚的浊浪摇摇摆摆地离开河岸，慢慢地渡过了河。几天后，他们来到了一个山谷里，不幸的是篷车不小心陷进了深深的黑泥淖。天空又下起了倾盆大雨，他们没有地方可以去，只能待在阴冷潮湿的篷车里，吃着冰冷的食物，真是糟糕透了。第二天，爸爸在山坡上找到一个可以扎营的地方，不过他们得等到水退了，泥淖干了，才能把篷车推出来。这期间，爸爸从一个又高又瘦的男人那，用他们的两匹筋疲力尽的棕色马换来了两匹矮种马。它们长着温柔的大眼睛，鬃毛和尾巴都很长，跑起来很轻快。

爸爸让萝拉和玛丽给它们取名字，于是玛丽给其中一匹马取名叫彼得，萝拉给另一匹马取名叫帕迪。等到水渐渐退去，泥泞的道路快干了，爸爸就把篷车从泥土中挖了出来。他把篷车套上在彼得和帕迪身上，他们再次出发了。

现在，他们来到了堪萨斯大草原上。又高又密的青草在风中不住地摇摆，他们穿行在草浪里，除了周围起伏的草浪和苍茫的天穹之外，他们什么也看不到。彼得和帕迪不停地向前走，它们时而小跑，跑累了就慢慢走，接着又小跑一会儿，可始终走不出这片草的海洋。傍晚，风吹过草地发出凄凉的声音，偶尔能看到几处萤火，它们在这空旷的原野上显得那样微弱和渺小。明亮的群星在夜空中闪烁，萝拉感觉星星离她非常近，似乎可以用手摸到它们。

一连几天，他们都在草原上穿行，景色单调而乏味。萝拉和玛丽对这一切都厌倦了，她们坐在篷车后部的床铺上，侧面的篷布都卷了起来，风吹过来，把萝拉和玛丽的头发吹得有些凌乱，强烈的阳光刺得她们睁不开眼。

有时，一只野兔会从草丛中高高跃起，可是杰克根本就不理会。由于长途跋涉，可怜的杰克也跑累了。

爸爸弯着腰，手里握着缰绳，长长的棕色胡须随风拂动着。妈妈挺直地坐在那里，双手交叉着放在腿上，小嘉丽则睡在包袱中间柔软的棉被里。萝拉说："妈妈，我们能不能下车跟在车后面跑一会儿？我的腿都僵硬了。"

"不行，萝拉。"妈妈说。

"我们很快就要停下来宿营了吗？"萝拉问道，她感到中午好像过去很久了。爸爸说："现在离宿营还太早。"

"我真想现在就宿营，太累啦。"萝拉说。

"萝拉！"妈妈喊了一声，就不再说话了。

妈妈的意思是叫萝拉不要再抱怨了。于是萝拉不作声了，可是心里仍在抱怨。篷车一路颠簸着前进，篷布被风刮得噼啪作响，有好长一段时间大家都不作声。

"我们很快就要遇到一条溪流了。"爸爸说，"孩子们，看见前面那些树了吗？"

萝拉扶住车篷架站起身来，她隐约看见前方有一片低矮的黑影。"那是一片树林。"爸爸说，"今晚就在那儿宿营。"

第二章
强渡河流

彼得和帕迪开始小跑起来，它们似乎也知道马上要休息了，看上去很兴奋。

“吁——”爸爸突然停了下来。

“走哪条路好呢?”他自言自语道。

他们来到了一个岔路口，两条路上都留有模糊的车辙。一条路朝西，另一条路朝南，稍稍有点下坡。

“我想，我们应该走下坡的路。”爸爸拿定了主意，“小溪往下面流，走这条路应该能够找到渡过小溪的浅滩。”

于是，他们走上了朝南的路。这条路弯弯曲曲，忽下忽上。走了一段时间后，路转了一个弯，前面是一段很陡的下坡路。爸爸拉住刹车杆，彼得和帕迪也奋力地把身子向后倾，屁股几乎要挨到地上。车轮从陡峭的斜坡上一点儿一点儿地慢慢向下滑，最后，他们来到一道很窄的峡谷里。

篷车两侧是陡峭的红土崖，崖壁被太阳烤得炙热，热浪扑面而来。风从高处吹过，可是峡谷中却一丝风也没有。周围一片寂静，空荡荡的。篷车沿着峡谷向下走，峡谷变得越来越开阔，成了一片洼地，那儿生长着一些高大的树木。原来，萝拉刚才在高处的草原上远远看到的那些矮树是这些大树的树尖儿。有一些野鹿正躺在树荫下休息，其中几只鹿转过头来，好奇地望着篷车。

萝拉有点纳闷：小溪怎么还没出现？也许还要朝前走一段路才能看到吧。这里是一片开阔的低地，地势缓缓起伏着，阳光普照着大地，天气有点闷热，泥土很松软，地上长着稀疏的草，都被鹿群啃得短短的。

他们走了好半天，还是能看到后面高耸而陡峭的红土崖。不知又走了多久，红土崖终于被小山丘和树林给遮住了，看不见了。一片寂静中，他们听到了湍急的水流声，终于来到小溪边了。小溪两岸长满了茂密的树丛。

“小溪看起来很深。”爸爸说，“不过，我们能过得去。你看，这片浅滩上还有别人留下的车辙。你说呢，卡洛琳？”

“听你的，查尔斯。”妈妈回答说。

彼得和帕迪喝饱了水，抬起湿漉漉的鼻子，竖起耳朵，看着眼前的河流。不远处，杰克正伸着红红的舌头舔着水喝。

“我得把车篷绑牢固了。”爸爸说。他从车上下来，把卷起的篷布放下来，牢牢地绑在篷架上。然后，他用力拉紧绳索，使篷布紧绷在篷架上。

玛丽蜷缩在床铺上，她不喜欢涉水，担心湍急的水流会把她冲走。可是，萝拉却很兴奋，她觉得这是很有趣的事情。爸爸回到座位上，对妈妈说：“到了溪流中间，马可能得在水中游一会儿。不过别担心，我们能过去，卡洛琳。”

萝拉想到了杰克，说道：“爸爸，应该让杰克也到车上来。”爸爸没吭声，他牢牢地握着马缰绳。妈妈说：“杰克不会有事的，萝拉，它会游泳。”

爸爸赶着马开始过河，篷车行驶在松软的泥地里，溪水开始冲击着车轮。随着冲击的声音越来越大，篷车也在不断地摇摆。突然间，篷车完全漂浮起来，在水面上左右摇摆，就像一条船，真是有趣极了。

这时，妈妈突然尖叫道：“快躺下，孩子们！”

玛丽和萝拉赶紧平躺在床铺上。妈妈扯过一条毯子，把她们从头到脚盖住了。玛丽躺在那儿一动也不敢动，全身在微微发抖。萝拉没那么害怕，她很想知道发生了什么事。萝拉感到篷车在水里打转，溪水冲击篷车的声音时断时续。

这时，爸爸忽然大声喊道："抓紧缰绳，卡洛琳！"

篷车突然向一边倾斜，篷车外面传来"扑通"一声。萝拉一把掀开蒙在头上的毯子，坐了起来，朝外面看去。爸爸不见了，只有妈妈一个人坐在那儿，双手死死地抓着缰绳。萝拉看不到对岸，除了篷车和湍急的水流，她什么也看不见。不一会儿，水流中露出了三个脑袋：彼得和帕迪的大脑袋，还有爸爸湿漉漉的小脑袋。爸爸的手紧紧地抓着彼得的辔头。爸爸好像在跟马说着什么话，可是听不清说的是什么。妈妈的面色很苍白，一副很害怕的样子。

"快躺下，萝拉！"妈妈回过头说。

萝拉又躺了下来，她把眼睛闭得紧紧的，感到浑身又冷又难受。篷车还在激流中不停地摇摆。玛丽吓哭了，但没有哭出声来。萝拉感到有点反胃和恶心。后来，篷车的前轮好像碰到了水底的砂石，发出沉闷的撞击声，爸爸这时也在大声喊叫着。整个篷车都在剧烈地颠簸着，还向后面倾斜，不过这时车轮已经完全挨着地面，开始向前滚动了。萝拉又坐了起来，她看到彼得和帕迪正奋力向河岸上爬，浑身湿漉漉的。爸爸和它们一起，高喊着："好样的，帕迪！好样的，彼得！加油！加油！嗨——太棒了！”

篷车终于上到了对岸，彼得和帕迪站在岸边大口喘着粗气，水顺着身体往下滴。

爸爸也累得气喘吁吁，浑身上下湿淋淋的。“好啦，卡洛琳。”爸爸说道，“我们都没事了，好在篷车做得很坚固，我们才没事。在我的引导下，彼得和帕迪做得很好，我们已经过来了。”

这时，萝拉突然喊道：“天哪，杰克呢？”

他们都把杰克给忘了。大家都向溪流中和对岸望去，焦急地搜寻着，可是根本没有杰克的影子。难道杰克还在对岸没有过来？这几乎是不可能的。难道它在过河时被溪流冲走了？这倒是很有可能。

萝拉强忍着泪水，没有哭出来。从威斯康星州一路走来，杰克忠心耿耿地跟随着他们，他们却没有照顾好它，让它淹死了。杰克这一路上太累了，他们本应该把它放在车上过河的。杰克不在了，大家感到是多么需要它啊。

爸爸说决不能放弃杰克，他沿着岸边，在小溪的上游和下游走了很远去寻找杰克，他一边走一边喊着它的名字，吹着口哨，希望杰克能听到。可这些都没有用，根本没有杰克的影子。

最后，实在没有希望了，他们只好上路了。爸爸抓起缰绳，赶着篷车开始爬坡。萝拉一直在不停地往后面看，她真希望杰克能突然出现在眼前。然而，除了起伏的小山丘，她什么也看不到。

走到这条路的尽头，他们又来到一片大草原上。地上没有任何车辙或马蹄印，这里好像从来没有人来过，空旷的大地上长满了高高的野草，风轻轻地吹着，红红的大太阳发出耀眼的光芒，紫红色的晚霞笼罩着大地，现在是傍晚了。爸爸把篷车停下来，他们准备在这里宿营。

“妈妈，杰克已经上天堂了，是吗？它是一条很好的狗，它一定会上天堂的，是不是？”萝拉问妈妈。

爸爸替妈妈回答道：“是的，萝拉，杰克当然能上天堂。仁慈的上帝当然不会把杰克这样的好狗拒之门外的。”

听了这话，萝拉感觉好过了一些，可是她还是高兴不起来。

第三章
夜宿大草原

爸爸开始扎营，他先把彼得和帕迪从篷车上卸下来，给它们套上长长的拴马索，拴在一个打入地面的铁桩上。彼得和帕迪被拴上后，就卧倒在草地上左翻右转打起滚来。它们滚来滚去，一直滚到浑身上下都轻松了为止。

这时，爸爸动手把周围的绿草下面的枯草都拔掉，放在一起，因为他担心生火做饭时会引燃这些枯草。要知道，火势一旦蔓延开来，会把整个草原烧着。所以，在草原上生火做饭，一定要非常小心，注意安全。

周围的枯草清理干净后，爸爸把一大捆干树枝和枯树干放在空地中央，那是他之前从小溪边捡来的。爸爸用干草引火，很快就点燃了柴火，发出噼噼啪啪的爆裂声。

爸爸到河边取来了水，与玛丽、萝拉一起，帮妈妈做晚餐。玛丽负责研磨咖啡，萝拉把水倒进咖啡壶里。妈妈把咖啡壶和烤锅一同放在火上，利用烤锅烧热的功夫，妈妈开始揉玉米饼。然后，她在烧热的烤锅上涂上一层猪油，再把玉米饼一一摆放到烤锅里，盖上锅盖烤。妈妈把腌肉切成薄片，放到一个小煎锅里煎。这个小煎锅带有几条短腿，可以站在炭火里，外形很像一只蜘蛛，所以又叫铁蜘蛛。

咖啡煮好了，玉米饼烤好了，猪肉也煎熟了，远远就能闻到一股香味。爸爸把篷车上的座位搬到火堆旁，和妈妈一同坐在上面。玛丽和萝拉坐在篷车的轩辕上。他们每人都有一个锡盘、一把餐刀和一把叉子。爸爸和妈妈各有一个锡杯，小嘉丽有一个专用的小杯子，玛丽和萝拉共用一个锡杯。她们俩现在还不能喝咖啡，只能喝白开水。

夜幕降临，四处静悄悄的，在黑暗而空旷的草原上，篝火让人感到温暖和惬意。煎肉美味可口，玉米饼松脆酥香。彼得和帕迪在吃着地上的青草，嘴里不停地咀嚼着。

“我们就在这儿住上一两天。”爸爸说，“也许我们就在这儿住下了。这地方不错，溪边低地里有树林，那里有很多小动物。我们需要的东西这里都有。”

“也许前面也不会有更好的地方了。”妈妈说。

“明天我到附近转转。”爸爸说，“也好打一些猎物回来。”爸爸用一块炭火点燃了烟斗，抽了起来。玛丽和萝拉都感到困了，她们都打起了哈欠。妈妈动作麻利地把餐具洗干净，再把它们收拾好，最后把抹布也洗得干干净净。

这时，漆黑的草原上突然传来一声拖着长音的嗥叫声。他们都知道那是什么声音。一听到这种声音，萝拉感到后背发凉，头皮发麻。爸爸说：“那是狼的叫声，我估计在 500 米之外。有鹿的地方就有狼，我希望……”

爸爸还没有说完，不过萝拉知道他想说什么，他希望杰克还在。在大森林里住的时候，只要有杰克在，即便有狼他们也不害怕。想到这里，萝拉的喉咙有点难受，鼻子也酸了起来，她忍住了眼泪，没有哭出来。“睡觉吧，孩子们！”妈妈以轻松的口吻说。玛丽站起来，让妈妈帮她解开后背上的扣子。这时，萝拉不经意间往黑暗中望去，在贴近地面的地方，她看到有两点绿光在闪烁。那是一双动物的眼睛。

萝拉只感到后背发凉，头发都快竖起来了。绿光在移动，一点绿光熄灭了，另一点绿光也熄灭了，接着两点绿光又同时亮了起来，离他们更近了些。

“爸爸，那里有一只狼！”萝拉叫道。

爸爸立即从篷车里拿出枪来，瞄准了那双绿眼睛。绿眼睛不动了，在黑暗中看着爸爸。“不可能是狼，除非这只狼疯了。”爸爸说。妈妈把嘉丽抱进篷车里。“不会是狼，”爸爸说，“你看彼得和帕迪毫无反应，仍在正常地吃草。”“是山猫吗？”妈妈问。爸爸捡起一根树枝，大吼一声，用力向绿眼睛掷去。绿眼睛贴近地面，好像匍匐在地，准备要跃起来一样。爸爸端枪瞄准，它还是一动不动。

爸爸慢慢朝那双眼睛靠近，而那双眼睛也贴着地面向爸爸靠过来。在黑暗中，萝拉依稀可以分辨出那是一只灰褐色带斑纹的动物，多么熟悉的身影！是的，那是杰克！爸爸和萝拉都高声喊叫起来。杰克扑过来，用它湿湿的舌头舔着萝拉的脸和手。然后，它又跑到爸爸妈妈那里，接着又跑回到萝拉身边。“噢，你吓了我一跳！”爸爸说。

“也吓了我一跳。”妈妈说，“小声点儿，别把小嘉丽吵醒了。”杰克安然无恙，不过它的眼睛红红的，这是太累的缘故，下半身沾满了泥巴。妈妈给了杰克一块玉米饼，它舔了舔，却没有吃，因为它实在太累了。“杰克肯定被激流冲到下游去了。”爸爸说，“可怜的杰克，我们不是故意不管你的。”萝拉问它：“杰克，你知道我们不是故意的，对不对？”杰克摇了摇尾巴，它似乎知道的。

睡觉的时间到了，杰克依旧睡在篷车下面，大家也都躺下了。一只猫头鹰发出“呜——呜”的叫声，另一只猫头鹰在远处“呜——呜——”地回应着。远处传来了狼的嗥叫，篷车下面的杰克听到后，低吼了两声……

第四章
草原上的一天

从篷车外面传来了轻轻的马嘶声，接着是谷粒倒进饲料箱的声音。爸爸正在喂彼得和帕迪。

“彼得，往后退，别贪吃，别挤占了帕迪的位置。”

彼得嘶叫一声，往后移了两步。

“来，帕迪，你在这头吃，”爸爸说，“那边是彼得的。”

帕迪也低低地嘶叫一声。

“哈！被咬了吧？”爸爸说，“我告诉过你，吃你自己那份玉米，别去抢别人的。”玛丽和萝拉相视而笑。这时，她们闻到了熏肉和咖啡的香味，听到了煎锅的嗞嗞声，赶紧爬了起来。玛丽和萝拉互相帮助，扣上了背后的扣子。篷车的踏板上放着洗脸盆，她们洗了脸和手。妈妈帮她们梳头发，爸爸去溪边打来了干净的水。

然后，一家人坐下来，开始吃早餐，早餐有煎饼、熏肉和蜜糖。太阳正在冉冉升起，阵风吹过，草浪起伏。云雀从草浪里钻出来，冲上蓝天，一边飞一边叫。几只可爱的小鸟儿在草丛中飞来飞去，不停地叫着。爸爸说这种鸟叫迪基鸟。

“迪基，迪基！”萝拉模仿它们的声音叫。

“好好吃饭，萝拉。”妈妈说，“吃饭也要守规矩，在餐桌上喊叫是不礼貌的。呃……吃东西时也一样。”妈妈补充说，因为她发现这里没有餐桌。

这里只有空旷的草原，头顶上是蓝蓝的天空，鸟儿在阳光下快乐地唱歌，这片草原似乎从来就没有人来过。篷车孤零零地停在草原上，显得那样渺小。一家人坐在篷车边，正吃着早餐。彼得和帕迪在一旁嚼着玉米，杰克默默地蹲在那里，并没有向主人要吃的。妈妈不允许在吃饭时喂狗，等他们吃完饭，妈妈用做煎饼时剩下的面糊做了一张很大的煎饼给杰克吃。

草原上有很多野兔和野鸡，可是今天杰克不能去捕食，因为爸爸要出去打猎，杰克必须留下来守护营地。

爸爸把彼得和帕迪拴在铁桩上，然后到溪边提回一桶水，供妈妈洗东西用。然后，爸爸把一把锋利的斧头插在腰间，把火药筒挂在斧头旁边，再把子弹盒装进口袋，拿起猎枪，转身离开了。妈妈钻进篷车里收拾床铺，玛丽和萝拉帮妈妈洗餐具。洗完餐具后，她们又把散落在地上的小树枝收集到一起，扔进火堆里，把木柴整齐地码放在篷车轮子旁。不一会儿，整个营地就变得干净整齐了。妈妈用小木勺挖出一点皂粉，放在木盆里，把袖子卷得高高的，开始洗起衣物来。等衣物全部洗好了，她把它们展开铺在草地上晾晒。

玛丽和萝拉在玩耍，妈妈不让她们离开篷车太远。阳光灿烂，微风徐徐，天高云淡，她们在高高的草丛中追逐嬉戏，真是好玩极了。野兔在她们身旁跳跃，鸟儿起起落落，迪基鸟随处可见，它们的巢穴就筑在草地上。这里还随处可以看到一种带褐色条纹的小黄鼠，浑身毛茸茸的，长着又圆又亮的小眼睛、皱皱的鼻子和小小的爪子。它们经常冷不丁地从地洞里钻出来，后腿站立，前腿搭在胸前，一双乌黑明亮的小眼睛不停地转动，看着玛丽和萝拉。

玛丽和萝拉想抓一只小黄鼠，每次她们眼看就要抓住了，却又让它跑掉了，地面上只留下一个圆圆的洞。玛丽干脆坐在一个地洞旁边，等着小黄鼠从洞里跑出来，送上门来，她好抓个正着。可是等了半天，就是没有一只小黄鼠从洞里钻出来。倒是有几只小黄鼠在离她不远的地方快乐地跑来跑去，还有几只仍站在那儿瞪着眼睛看着她。

突然，所有的小黄鼠一下子都跑得无影无踪了。原来有一只老鹰在天空中盘旋，它飞得很低，萝拉甚至能看清它的眼睛、喙和爪子。老鹰一无所获，又飞走了，到别处去寻找猎物了。老鹰一走，小黄鼠们突然之间又都冒了出来。快到中午了，太阳差不多已经升到头顶。萝拉和玛丽各自采摘了一些野花，她们打算送给妈妈。

妈妈正在叠晾干的衣服。衣服洗得干干净净，还带着阳光的余热和青草的香味儿。萝拉和玛丽把鲜花献给妈妈，妈妈高兴地接过去，她把这些花插进一个盛满水的锡杯里，看上去很好看。妈妈拿了两块玉米饼，在上面涂了些蜜糖，然后把它们分给玛丽和萝拉吃，这是她们的午餐，味道很好。

“妈妈，‘帕普斯’在哪里？”萝拉问。“吃东西时不要讲话，萝拉。”妈妈说。萝拉赶紧把嘴里的食物咽下去，然后说：“我想看‘帕普斯’。”“印第安人有什么好看的？”妈妈说，“以后我们会经常看到他们的。”“妈妈，你为什么不喜欢印第安人呢？”萝拉一边问，一边去舔手指上的蜜糖。

“我就是不喜欢他们，不要舔手指，萝拉。”妈妈说。

“这儿是印第安人的地盘吗？”萝拉接着问。

妈妈也不知道这里是不是印第安人的地方，不过，她知道印第安人不会在这儿长期待下去的。因为她听别人说，政府很快就要对白人开放印第安人的保留地了。

中午有点热，小嘉丽在篷车里睡着了，玛丽、萝拉和杰克躺在篷车的阴影下乘凉。杰克的嘴张得大大的，红红的舌头耷拉在外面，眼睛半睁半闭着睡觉。妈妈正一边熨衣服，一边轻声哼着曲子。淡蓝色的天空中飘浮着几朵白云，风轻轻地吹过，草地发出轻轻的沙沙声；蚱蜢在草地上飞来飞去，翅膀发出一连串的震动声；溪边的树林里隐约传来嗡嗡的声音，好像是蜂群的鸣叫声。此情此景，让萝拉感到无比的温馨和宁静，她开始喜欢上这里了。

萝拉一觉醒来，太阳已经偏西，杰克在她脚边摇晃着尾巴，她看到爸爸刚刚从外面回来。萝拉跳了身来，朝爸爸奔去。爸爸打到了一只兔子，萝拉从来没有见过这样大的兔子，他还抓到了两只野鸡。萝拉高兴得连蹦带跳，不断拍手叫好。“这里的动物可真多！”爸爸告诉她说，“这里有数不清的野鹿、羚羊、松鼠、兔子和各种鸟儿，溪水里还有很多的鱼。”然后，他又对妈妈说：“卡洛琳，我们需要的东西这里全都有，这里真是一个好地方！”

晚餐丰盛极了。一家人围坐在营火旁，吃着鲜嫩美味的烤肉，直到吃不下为止。世上再没有比这更美味的晚餐了。

天边的最后一抹红色消失了，夜幕渐渐笼罩了大地。凉风习习，营火让人感到很温暖。溪边的树林中传来几声东菲比霸鹟的鸣叫，一只模仿鸟也跟着叫了一会儿，直到星星出来了，它们才安静下来。

第五章
建木屋

第二天，萝拉和玛丽很早就起床了。吃完早餐后，萝拉和玛丽帮妈妈洗餐具，爸爸把东西都装上车，把彼得和帕迪套在车上。太阳升起的时候，他们已经出发了。

走了整整一个上午，快到中午的时候，篷车终于停了下来。

“我们到了，卡洛琳！”爸爸说，“我们就在这儿建房子。”

萝拉和玛丽从车上跳了下来，面前是一眼望不到边的大草原。在他们北边的不远处，就是溪边的低地，他们可以看到溪边低地里的树尖儿，再往前一点，就是红土崖了。在他们东面很远处，有一条断断续续的“线”，爸爸说那是弗迪格里斯河。

爸爸和妈妈动手把东西从篷车上卸下来。他们把所有物品都堆放在地上，再把篷车的篷布拆下来，盖在这些物品上。最后，他们甚至连篷车的车厢都拆掉了，篷车被拆得只剩下四个轮子和一块平板儿。爸爸带上一个木桶和斧头，赶着只剩下一个骨架的篷车，向草原深处走去。

“爸爸要去哪儿?”萝拉问。妈妈回答说：“他要去河边砍些木材回来。”

萝拉帮着妈妈干活，玛丽则坐在草地上照看小嘉丽。萝拉和妈妈先把帐篷搭起来，然后把床铺铺好，再把所有的物品安置好，最后，萝拉把帐篷前面的草都拔掉，清理出一片空地来，以便生火做饭。

没什么活可干了，萝拉就到附近转转。她在草丛中发现了一条奇怪的小路。这条小路很窄、很直，而且被踩得很坚实，一直延伸到大草原的深处，不知道有多长。如果你站在远处，是根本看不到这条小路的，只有走近了才会发现。

萝拉沿着小路往前走了一会儿。她走得越来越慢，最后停下了脚步。她突然有一种奇怪的感觉。于是，她赶紧转身往回走，再回头看时，并没有发现什么异样，可她还是加快了脚步。

爸爸赶着马车回来了，上面装满了木头，萝拉赶紧把她发现小路的事告诉了爸爸。爸爸说他昨天就发现这条路了。“这是一条前人留下来的路。”他说。

那天晚上坐在火堆前，萝拉又一次问爸爸她什么时候才能看到“帕普斯”。爸爸摇摇头，他告诉萝拉印第安人很难见到，他也只在小时候曾见过印第安人，后来再也没有见到过。萝拉只知道印第安人的皮肤是红褐色的，他们随身携带着短柄的“印第安战斧”。接下来的几天，爸爸每天都去河边砍木头。他把木头分成两堆，一堆用来建房子，另一堆用来建马厩。木头砍够了，爸爸开始建房子。他先在地面上画出房子的大小，然后用铁铲沿着木屋的墙基挖出两条小沟。他把两根最粗的圆木滚进沟里，圆木有一半埋在沟里，一半露出地面。这两根圆木要承载整个房子的重量，所以一定要选用最粗的，它们被称作“底木”。

爸爸又选了两根粗大的圆木，把它们滚到另外两边，这样四根圆木就构成了一个四方形。接着，爸爸用斧头在这两根圆木的两头砍出一道很宽很深的凹槽，他一边砍，一边用眼睛衡量底木的粗细，一直砍到凹槽正好可以把底木露出地面的那一半嵌进去为止。凹槽砍好后，他让圆木两端的凹槽朝下，与底木正好咬合在一起，架在底木上的两根圆木正好也紧贴着地面，房子的基座就这样打好了。

第二天，爸爸开始搭建墙壁。他先把四根圆木滚到房子的四个边上，像昨天一样，他在每根圆木的两头都砍出凹槽，然后把圆木一根一根地滚到房子基座上，让凹槽刚好卡在下面的圆木上。通过这些凹槽，这些圆木在房子的四个角上紧紧咬合，形成坚固的整体。可是，由于每根圆木都不一样直，而且每根圆木两头的粗细不同，所以圆木之间就不可避免地留下很多缝隙。不过，爸爸会想办法把这些缝隙堵起来的。当爸爸一个人在基座上堆起三根圆木后，就得让妈妈帮忙了。爸爸把圆木的一头靠在墙壁上，妈妈扶住这一头，爸爸再把另一头搬到墙壁上。然后，爸爸站在墙壁上，在圆木的两头各砍出一个凹槽，妈妈要帮爸爸来回滚动和扶住这根圆木，直到把它稳妥地固定在墙壁上，这样房子才能建得稳固、周正。

就这样，墙壁越建越高，高得萝拉都爬不上去了。她整天看着爸爸和妈妈建房子，感到没什么意思，就跑到附近的草丛中玩。突然，她听到爸爸大声喊道："松开手！快跑开！"

一根又粗又重的圆木滑落了。爸爸正奋力抱住他的那一头，想阻止圆木滑下来，可是爸爸没有撑住，圆木滑了下来，妈妈倒在地上缩成了一团。

萝拉赶紧朝妈妈冲过去。这时爸爸跪在妈妈身边，大声呼唤着妈妈，妈妈上气不接下气地说："我……还好。"

圆木正好砸在她的脚上。爸爸搬起圆木，妈妈把脚抽了出来。“动动你的手臂，”爸爸说，“后背伤到了吗？能不能转一转头？”妈妈动了动手臂，又转了转头。

“谢天谢地。”爸爸说。他扶着妈妈坐起来。

妈妈说：“我还好，查尔斯，只是砸到了脚。”

爸爸脱掉妈妈的鞋袜，握着妈妈的脚，活动她的脚踝、脚背和每一个脚趾。“很疼吗？”他问。

妈妈的面色苍白，嘴抿成一条线。“不太疼。”她说。

“只是砸伤了，还好没伤到骨头。”爸爸说。

妈妈安慰他说：“别担心，查尔斯，我很快就会好起来的。”

妈妈的脚没有骨折真是万幸，地上有一个小土坑，而妈妈的脚刚好踩在了土坑里才没有被木头砸骨折。

爸爸赶紧把妈妈扶进帐篷，让妈妈休息。爸爸又出去打来一盆冷水，妈妈把已经肿起来的脚浸泡到凉水中，过了好一会儿才把脚从凉水中伸出来。最后，爸爸又用布条把妈妈的脚踝紧紧地缠起来。

妈妈受伤的脚不能穿鞋，不过她在脚上缠了很多布条，走起路来一瘸一拐的。妈妈还能做饭，只不过没有平时那样麻利了。

爸爸做了一块长长的厚木板，一头放在地上，另一头靠在木墙上，坡度比较平缓。爸爸不再像以前那样把圆木抬上木墙，而是和妈妈一起把圆木通过木板滚到木墙上。

可是，妈妈的脚踝一直不见好。每到晚上，妈妈在热水中泡脚时，她的脚总是又青又紫，不见消肿。看来，房子得暂时停工了。

一天下午，爸爸吹着口哨从溪边回来了。爸爸告诉了她们一个好消息：他们有邻居做伴了，邻居就住在小溪对岸 3 000 米远的地方。爸爸是在树林里遇到了那个人的，他们说好要互相帮忙，这样爸爸建房子就有帮手了。

“他是一个单身汉，”爸爸说，“而且他答应先来帮助我，等我们的房子建好了，我再去帮助他。”

妈妈说：“太好了，查尔斯，这真是个好消息！”

第二天一大早，爱德华先生就来了。他长得又高又瘦，皮肤晒得黝黑。他脚上穿着长筒靴，上身穿了一件破旧夹克，头上戴着一顶浣熊皮帽。他能把唾沫又远又准地吐在一个物体上，萝拉从没有见过有人能做到像他这样。

他真是个好帮手，只用一天工夫，他和爸爸就把墙壁建得很高了。他们边干活边开玩笑，有时还哼着歌，锋利的斧头把木屑砍得四处飞扬。

在墙壁顶端，他们用细一点的圆木搭起房顶的骨架。然后，他们在朝南的墙壁上凿出一个很大的长方形的洞，作为房门；在朝东和朝西的墙上各凿出一个正方形的洞，作为窗子。萝拉迫不及待地想进到屋子里看看，门洞还没凿好，她就钻了进去。哇哦！每一面墙壁上都有很多缝隙，屋顶上也有很多缝隙，光线从这些缝隙中照射进来，在萝拉的身上留下了一道道条纹。透过墙壁的缝隙向外望去，草原也被分割成一条儿一条儿的。青草和木头的气味混在一起，真是好闻极了。后来，当爸爸和爱德华先生把门洞和窗洞全部凿好后，刺眼的阳光一下子就照进了屋里，显得非常明亮。最后，爸爸和爱德华先生又在门洞和窗洞周围钉上了一圈薄木板。这样，整座房子除了屋顶之外，其余的都建好了。墙壁非常坚固，屋子也很大，比帐篷宽敞多了。所有人对这座木屋都非常满意。

爸爸和妈妈把爱德华先生留下来吃晚餐，晚餐非常丰盛，有焖兔肉、白面汤团和肉汤，还有热气腾腾的玉米饼、美味的熏肉和香喷喷的热咖啡。爱德华先生衷心感谢主家准备了如此丰盛的晚餐。

晚餐后，爸爸拿出了小提琴。爱德华先生躺在草地上，听爸爸拉小提琴。爸爸边拉边唱：

啊，我是吉卜赛国王！

随遇而安，四处流浪！

只要拉下我的破睡帽，

大家听了都开怀地大笑起来，萝拉更是咯咯地笑个不停。“噢，再来一遍，爸爸，再来一遍！”萝拉忘形地大喊道，不过她突然想起妈妈平时的教导，便赶忙闭上了嘴巴。

爸爸继续拉着小提琴，爱德华先生站起身来，随着琴声跳起舞来。在皎洁的月光下，他就像是一只左蹦右跳的大野兔，而爸爸的琴声也越来越欢快，脚不停地打着节拍。萝拉和玛丽不停地拍着手，脚也跟着打节拍。

“你是我见过的最棒的小提琴手！”爱德华先生高声称赞爸爸。他不停地跳舞，爸爸也一曲接着一曲地拉着小提琴，他先后演奏了《钱鼠》《阿肯色的吉卜赛人》《爱尔兰洗衣女》等曲子。

小嘉丽今晚也很兴奋，她坐在妈妈的腿上，瞪着圆圆的眼睛看着爱德华先生跳舞，还拍着小手和大家一起笑。营火的火星飞舞着，好像也在随着琴声欢快地跳舞。月亮已经升到半空，皎洁的月光像流水一样洒满了整个大草原。

爱德华先生要回家了，他说回到树林和小溪那边的家要走很远的路呢。他向萝拉、玛丽和妈妈道了晚安。他说一个人的生活非常孤单，今晚让他真正体验到了家庭生活的快乐。“继续演奏吧，查尔斯！”他对爸爸说，“用音

乐送我回家吧！”他拿起枪，朝着通往溪边的小路走去。爸爸继续拉着小提琴，他和萝拉、爱德华先生一起高唱：

老丹塔克是个大好人，
他把煎锅当作洗脸盆，
把马车轮子拿来当梳子，
后脚跟上的疼痛害得他丢了命。
老丹塔克要到城里去，
骑着骡子牵着狗……

爸爸粗犷的嗓音和萝拉细嫩的童音合在一起，在大草原上回荡，与从远处溪边低地那边隐约传来的爱德华先生的歌声遥相呼应。

等爸爸的小提琴声停下来，他们已经听不到爱德华先生的歌声了，只有风吹过草地的沙沙声。巨大的月亮已经升到头顶，天空中一颗星星也看不到，整个大草原都笼罩在朦胧的月色中……

第六章

搬新家了

“墙壁已经建好了，”第二天早上，爸爸跟妈妈说，“虽然地板还没铺，门窗还没安，但是我们可以先住进去了。我得尽快把马厩建起来，让彼得和帕迪早点住进去。昨晚我听到了狼嗥声，似乎离我们不太远。”

“不过你有枪，我不担心。”妈妈说。

“对，我们还有杰克呢。可是，你和孩子们晚上睡在屋子里，我会更放心一些。”

“我们怎么还没有看到印第安人呢？”妈妈问道。

“我也不知道，”爸爸回答道，“我在红土崖那里发现了他们的营地，他们现在也许到远处狩猎去了。”

这时，妈妈喊道：“孩子们，该起床了！”

萝拉和玛丽从床上爬起来，很快穿好了衣服。

“我们今天就要搬进新屋了，但是我们得先把屋子里的木屑清理出来。”妈妈说，“你们赶快吃早餐。”

一家人很快就吃完了早餐，然后就开始清理木屋。萝拉和玛丽飞快地进进出出，用裙子兜起满满的木屑朝屋外运。妈妈拿起用柳枝扎成的扫把，把散落在地上的碎木屑清扫干净。妈妈的脚已经好多了，但是走起路来还是有点跛。

爸爸站在墙上，把篷车的篷布展开，想要把它盖在屋顶上。篷布被风刮得上下翻腾。爸爸的双腿牢牢地夹住墙壁，双手紧紧地抓住篷布，虽然篷布被风吹得很厉害，但是爸爸最终还是把它绑在了屋顶上。

“好啦！”爸爸看着篷布说，“你给我老老实实地待在这儿吧。”

爸爸顺着屋角，慢慢地爬下来，他站在地上，用手理了理被风吹乱的头发，结果把头发搞得更乱了，妈妈忍不住笑出声来。

然后，他们一同看着木屋。爸爸说：“多漂亮的木屋啊！我们会在这里生活得很快乐，卡洛琳，这里是一个好地方，我愿意在这儿过一辈子。”

“如果这里的人以后也多起来怎么办？”妈妈问道。

“那也没有关系。这里永远不会让你感到拥挤，你看，这里的天地是多么宽广啊！”

萝拉也非常喜欢这里，她喜欢这里广阔的天空，喜欢这里自由自在的风，还有一眼望不到边的大地。这里的一切都是那样自由，那样无拘无束，那样宽广开阔。

到吃午餐时，木屋里的一切已经安排就绪。床铺已经搭好了，床单、被褥整洁地铺在上面；篷车的座位和两个木墩被搬进来当椅子；爸爸的枪挂在门框上方的钉子上；箱子和包袱都整整齐齐地码放在墙角。屋内非常舒适，风和阳光穿过墙壁的缝隙和窗洞进了屋子，一切都是那样惬意。

只有营火还留在外面。爸爸说他要尽早在屋子里搭一个壁炉，把地板铺起来，还要做床、桌子和椅子；在冬天到来之前，他还要用一些薄木板把屋顶钉起来。不过，这些事情都得等他帮爱德华先生建好房子，把马厩建起来之后才能做。

妈妈说：“我要一个晾衣架。”

爸爸笑了笑，说：“好，我们还要打一眼井呢！”

晚餐后，一家人围在营火边坐了一会儿。今晚他们就要在木屋里睡觉了，他们再也不用在外面露宿了。爸爸和妈妈谈起了威斯康星州的亲人们，妈妈想寄一封信给他们，可是，最近的邮局在独立镇上，离这儿有 64 000 米远，需要一个人专门跑一趟才行。

由于路途遥远，通信不便，他们无法得知住在大森林里的爷爷、奶奶、叔叔、婶婶，还有堂兄妹们的情况，当然，亲人们也不知道萝拉一家人的生活情况。

“好啦，该睡觉了。”妈妈说。小嘉丽已经睡着了，妈妈把她抱进屋里，给她脱掉衣服。玛丽和萝拉也脱衣服准备睡觉了。爸爸把一条棉被挂在门上，它至少可以挡挡风。

玛丽和萝拉躺在床铺上，透过窗户朝东面的天空望去，她们看到一轮巨大的明月挂在晴朗的夜空中。月光穿过墙壁的缝隙照射进来，使墙上的每一道缝隙都变成了一条银线，屋子里也很明亮，他们都能看清彼此的脸。

爸爸把彼得和帕迪牵到了木屋旁，拴在铁桩上，然后走进屋子，杰克也跟着进来了，它趴在了屋门口。现在，全家人都住进了坚固的木屋里，可以放心地好好睡一个舒坦觉了。迷迷糊糊中，萝拉听到远处传来一声长长的狼嗥，她只是稍稍感到一点紧张，不过很快就睡着了。

第七章

爸爸遇到狼群

只用了一天时间，爸爸和爱德华先生就把马厩建好了。马厩还没有安门，不过，爸爸在门两边竖了两根粗大的木桩，都埋在土里。爸爸把彼得和帕迪牵进马厩，然后，他把一些短木头堆放在木桩外面，正好把门洞挡住了，形成一道坚固的门。

“好了，”爸爸说，“让那些狼嗥叫吧！今晚我可以安心睡觉了。”

第二天早晨，当爸爸把挡住马厩门洞的木头一根根移开时，萝拉吃了一惊：在彼得的身边，多了一匹还站不太稳的小马驹！原来，彼得昨天晚上产崽了。

萝拉想跑上前去看个究竟，可是一向温顺的彼得把耳朵贴在脑后，冲着萝拉嘶鸣起来。

“往后站，萝拉！”爸爸大声说。

彼得只准许爸爸触摸小马驹，不让别人靠近，它用眼睛瞪着萝拉，冲着她龇牙咧嘴。这个小家伙长着长长的耳朵，与其说它是一匹小马驹，还不如说它是一只长耳大野兔。他们为这匹小马驹取名叫“邦尼”。除了爸爸之外，任何人只要一靠近邦尼，彼得都会发怒，甚至会冲上去咬人。

礼拜天的下午，爸爸骑着帕迪要到草原上转转。家里的肉还够吃，所以他没有带枪。

傍晚时分，爸爸还没有回来。妈妈准备做晚餐，玛丽在木屋里照看小嘉丽。这时，萝拉突然问妈妈：“杰克怎么了？”

杰克在不安地来回走动，它不断地抬头嗅着什么，看上去很焦虑。彼得也突然开始用蹄子刨地，围着拴马桩绕圈子，低声嘶叫着。

“怎么了，杰克？”妈妈问道。杰克望着妈妈，可惜它不会说话。妈妈又向四周看了看，没有发现什么异样。

“好像没什么事，萝拉。”妈妈说。妈妈开始做饭，可是，她一边在做饭，一边不断地观察着四周的动静。杰克仍在走来走去。彼得也不断朝西北方爸爸离去的方向张望，还让邦尼紧紧地依偎着它。

突然间，他们看到帕迪朝家的方向飞奔而来，几乎是在拼了命地跑。爸爸骑在帕迪身上，他的身体几乎贴在了马背上。

一直跑到马厩边，帕迪才停了下来。只见它浑身发抖，口吐白沫，汗水顺着黑色的毛皮往下直淌。爸爸从马背上跳下来，也是气喘吁吁。

“发生什么事了，查尔斯？”妈妈问道。

爸爸朝小溪那边看，妈妈和萝拉也跟着朝那边看，可是，他们只能看到溪边低地上露出来的树尖，还有再远一点的红土崖，除了这些，什么也看不到。

“怎么回事，查尔斯？”妈妈再次问道。

爸爸吁了一口气，说道：“我们遇到狼群了。”

“狼群！”妈妈叫道，“在哪里？”

“现在没事了，卡洛琳。”爸爸说，“我并不想跑那么快，可是我根本控制不住帕迪。我们遇到了一个足足有50只狼的狼群，卡洛琳，50只狼啊，我再也不想遇到它们了。待会我再详细跟你说。”

“我们到屋里吃晚饭吧。”妈妈说。

“没必要，”爸爸说，“有什么情况，杰克会及时通报的。”

爸爸没有像往常那样把彼得和帕迪牵到溪边去饮水，而是让它们喝木桶里的水，那是给妈妈洗衣服用的。饮完水后，爸爸把它们赶进了马厩。

一家人坐下来吃晚餐，除了营火的亮光，周围一片漆黑。萝拉和玛丽不时地往身后看，她们总感觉黑暗中有什么东西。杰克蹲着萝拉身边，竖着耳朵，倾听着从黑暗中传来任何声音。它偶尔站起来走进黑暗中，一会儿又走回来，绕着营火走一圈，然后又回到萝拉身边蹲下来。

萝拉和玛丽一边吃着玉米饼、啃着野鸡腿，一边听爸爸讲述遭遇狼群的事。

爸爸说不断地有拓荒者来到这里，开始在小溪两岸定居。他又认识了几个新邻居，其中一对叫斯科特的夫妇，人很朴实，住在离他们不到 5 000 米的地方，他们目前正在建房子。在距离他们 9 000 米远的地方，有两个单身汉住在一起，他们已经开垦出了两块地。

爸爸还没有提到狼群的事，萝拉真希望他能直奔主题。但她知道，她不能催爸爸。

爸爸说，那两个单身汉还不知道这里有白人居住，他们以为这里只有印第安人，所以他们看到爸爸之后很高兴，就留爸爸在那里多待了一会儿。

然后，爸爸又骑马往前走。他发现溪边低地那里有一个小白点，走近一看，是一辆篷车。车上有一对夫妇和五个孩子，他们是从艾奥瓦州来的。由于拉车的一匹马病了，他们又染上了热病，所以才不得不在这里就近扎营。夫妻两人和三个大孩子病得很厉害，只有一个小男孩和一个小女孩照顾他们，他们的年龄跟玛丽和萝拉差不多。

于是，爸爸就尽力帮他们做了些事情。然后，他又骑马回到两个单身汉的住处，告诉他们这个家庭的不幸遭遇。其中一个单身汉马上骑着马赶到溪边，帮他们把篷车拉到了草原上，那儿的空气好，他们很快就会好起来。

就这样，爸爸一直到很晚才往回走。他想抄一条荒僻的近路回家，正当他催着帕迪往前赶路的时候，草丛中突然钻出了一群狼，很快就把爸爸围住了。

“那是一大群狼，”爸爸说，“总共有 50 来只，我从未见过这么多的狼。头狼看上去很高大、凶残，它足足有 1 米高。当时我全身发凉，发根儿都竖起来了。”

“你还没有带枪。”妈妈说。

“是的，可是即便我带着枪也没用，因为一支枪根本敌不过 50 多只狼，帕迪也没有它们跑得快。”

“那你当时怎么办?”妈妈问。

“没有办法，”爸爸说，“帕迪想要跑，我也想跑，我们都想尽快离开那里。可是我知道，我们不能跑，只要帕迪一跑，这些狼用不了一分钟就能把我们扑倒在地，然后把我们撕碎。所以，我尽力拉住帕迪不让它跑。”

“天哪，查尔斯！”妈妈紧张地说。

“这群狼就这样跟着我们，其中一只紧靠着我的马镫，我甚至一伸腿就能踢到它。可是，这群狼好像并不想攻击我们，它们一定是刚刚饱餐了一顿。于是，在大白天里，这群狼就跟着我们往前走，它们边走边跳跃、追逐、撕咬，就像一群狗一样。”

听到这里，萝拉感到很紧张，她的心扑通扑通直跳，她张着嘴，瞪着眼睛看着爸爸。

“帕迪吓得浑身发抖，”爸爸说，“我也很紧张，不过，我尽力拉紧帕迪让它慢慢走。我们大约走了 500 米，来到一处水源附近，泉水不断地从那里流出。头狼朝着水源走去，其他的狼都跟在它后面。等到最后一只狼离开我们，我立即催促帕迪快跑。”

“帕迪朝着家的方向狂奔，我想即使平时我用鞭子抽它，它也不会跑得这样快。一路上我都担心那群狼会追上来，因为它们跑得可比帕迪快多了。卡洛琳，我真庆幸把枪留给了你，也庆幸木屋提前建好了。”

“你不用担心，查尔斯，”妈妈说，“我们很安全。”

“当时我真的吓坏了，我挺幸运，如果那群狼肚子饿的话，我肯定回不来了……好了，现在没事了，”爸爸回答说，“那群狼离我们有好几千米远呢，不用担心。”

爸爸在说这些的时候，彼得和帕迪在马厩里显得烦躁不安；杰克也围着营火转圈，有时它停下来听听周围的动静，用鼻子向空中嗅一嗅，脖子上的毛竖立着。

“孩子们，该睡觉了！”妈妈喊道。妈妈让她们都进了木屋，她叫玛丽和萝拉上床睡觉，又为小嘉丽换上睡衣，把她放到大床上，然后她到屋外收拾餐具。萝拉希望爸爸和妈妈都待在屋里，虽然他们就在屋外，但是萝拉还是觉得不安全。

黑暗之中，爸爸从外面掀开挂在门上的被子，伸手把枪拿走了。外面传来妈妈洗刷餐具时发出的碰撞声，妈妈和爸爸在小声说着话，萝拉还闻到了爸爸抽烟的味道。

过了很长时间，妈妈和爸爸轻轻地走进屋子，轻轻地躺在床上。杰克趴在门口，但是它却抬着头，竖着耳朵。过了一会儿，妈妈、爸爸和玛丽都睡着了，萝拉也慢慢地睡着了。

不知过了多久，萝拉突然听到了狼的叫声，好像就在耳边叫一样。萝拉从床上一骨碌爬起身来，借着月光，她看到爸爸正站在窗边的黑影处，手里拿着枪。狼似乎就在木屋外面，萝拉吓得不敢出声，感到背部发冷。玛丽也醒了，她用棉被把头紧紧地蒙起来。杰克龇着牙齿，冲着门外吠叫起来。

“别叫，杰克！”爸爸说。

狼在外面嗥叫着，叫声很恐怖。萝拉从床上站起来，想走到爸爸的身边，可是她又不想去打扰爸爸。爸爸转过头来，看到萝拉穿着睡衣不知所措地站在那里。

“想看看它们吗，萝拉？”爸爸轻声问道。萝拉点点头，蹑手蹑脚地走到爸爸身边。爸爸把枪靠在墙壁上，把她抱到窗口处。

月光下，一群狼围着木屋排成一个半圆形，它们都蹲在地上，瞪着眼睛看着爸爸和萝拉。萝拉从没见过这么大的狼，最大的一只蹲在正中间，比她还要高。萝拉能清楚地看见它长着大大的尖耳朵，两条前腿很长，两只前爪也显得很肥大壮实，它的皮毛是灰色的，两只眼睛泛着绿光。

萝拉盯着那些狼看，但她不敢把头伸出窗外，她怕那些狼一下子就会扑上来。

“它们好大哟。”萝拉轻声地对爸爸说。

“是的，它们围成一个圈，把木屋围住了。”爸爸小声说道。爸爸拿着枪，把萝拉拉到另一个窗户边，然后将萝拉抱起来往外看。果然不错，这扇窗户外面，那些狼组成了圆圈的另一半。它们的眼睛泛着绿光，萝拉甚至能听到它们的呼吸声。

彼得和帕迪在马厩里不停地嘶鸣，它们不断地跳动着，马蹄发出阵阵响声。

过了一会儿，爸爸又回到另一扇窗前，萝拉也跟了过去，她正好看到那只头狼扬起头朝向天空，对着月亮发出一声长长的嗥叫。这时，所有的狼都把头朝向天空，一齐发出嗥叫。它们的叫声穿透了黑夜，在广阔而寂静的大草原上久久回荡着。

“好了，快去睡觉吧。”爸爸说，“我和杰克会保护好你们的。”

萝拉躺到了床上，可是她无法入睡。每过一会儿，狼群就会在外面发出嗥叫。不过，只要有爸爸和杰克在，她就什么也不怕。

第八章

门做好了

萝拉睁开眼睛，已经是第二天早上了。玛丽已经起床了，正和妈妈说着话。萝拉穿着睡衣跑出来一看，狼群早已不见了，木屋和马厩周围留下了很多狼爪印。

爸爸牵着彼得和帕迪，嘴里吹着口哨从溪边回来了，他是带它们去饮水的。早餐已经做好了，有煎饼和鸡肉。爸爸回来后，他们就开始坐下来吃早餐。爸爸说他得尽快把门做好，等下次狼群再来的时候，它就能把它们安全地隔在屋外了。

“我的铁钉已经用完了，”爸爸说，“不过没有铁钉我照样可以做门。”

早餐后，爸爸把彼得和帕迪套上马车，带着斧头去溪边砍木头。没过多久，爸爸就回来了，萝拉帮爸爸递工具，一起做门，玛丽站在一旁看。

爸爸先用锯子把圆木锯成几段，每一段都和门洞的高度相同。他还锯了几块短一些的圆木，准备做横木。然后，他用斧子把圆木劈成木板，再把它们刨平。他把长木板紧挨着摆在地上，再把做横木用的短木板放在上面，使短木板与长木板垂直相交。最后，他用螺旋钻在横木与长木板的交接处钻出一个个小洞，并往每一个小洞里打进一根木钉，把长短木板牢固地钉在一起。

这样，一扇很不错的橡木门板就做成了，门板非常坚固、沉重。爸爸割了三段皮带用来做门的合页，这三段皮带将分别安在门的顶端、中间和底部。把皮带固定到门上不是件容易的事儿，爸爸是这样做的：他先把一小块木板放到门上安皮带的地方，在木板上钻孔，直到把木板和门板钻通；然后，他拿起一段皮带包在木板上，用刀子在皮带盖住木块圆孔的地方挖出小圆洞，再把包着皮带的木板重新放回到门板上，使所有的圆孔都相重合；最后，爸爸用锤子把木钉打进圆孔。这样一来，皮带就固定在门上了。

“我说过，不用钉子照样能做门！”爸爸自豪地说。

三块皮带都钉到门板上之后，爸爸把门板立起来，放到门框里比量一下，大小正合适。爸爸把门板移开，在左右门框的外侧钉了几根木条，这样就能防止门板向外开。然后，爸爸又把门板重新嵌入门框，再把皮带合页固定到门框上。

最后，爸爸开始做门闩，他是这样做的：先在一块短而粗的橡木中间挖一道宽而深的凹口，然后把这块橡木有凹口的一面竖着扣在门板内侧的边缘上，并把它钉死在门板上。这样，这块橡木和门板之间就有了一道狭长的缝隙。

然后，爸爸又削了一根细长的木棒，这根木棒就是门闩。他把木棒的一头插进缝隙，另一头用一根木钉固定在门板上。门闩可以在木钉上转动，另一头可以在狭长的缝隙中上下移动。当门关上之后，门闩可以穿过缝隙露出来一截，这一截门闩刚好贴着门框内侧的墙壁上。然后爸爸把门闩移开，在这里横着钉上一块结实的橡木，橡木的顶端内侧之前已经挖出一道狭长的槽。这样在关门后放下门闩时，门闩就正好落进这道槽里。这样门就能从里面闩住了，除非把门撞坏，否则从外面是根本推不开的。

不过，如果门从里面闩住了，还得想办法能从外面能进来才行。于是，爸爸用一根皮条当门闩绳，把门闩绳的一端绑在门闩上，在门闩上方的门板上钻个小洞，把门闩绳从这个小洞中穿到门外。只要从外面一拉门闩绳，外面的人就可以把门打开，进入屋子了。

门终于做好了。它没有把手，没有锁，也不用钥匙，但是却又坚固又安全，这真是一扇很神奇的门！

“我们的工作完成得很出色！”爸爸说，“而且我还有一个很不错的小帮手！”爸爸伸手抱了抱萝拉，然后把工具收拾起来，吹着口哨，牵着彼得和帕迪到溪边去饮水。

第二天，爸爸出去打猎，因为他们的肉吃完了。第三天，爸爸又给马厩做了一扇门。马厩的门和木屋的门完全一样，只是没有门闩。但是爸爸在门上钻了一个洞，然后穿了一条铁链，并把铁链的另一端从墙壁的缝隙中穿过来，再用一把锁把铁链的两端锁起来，这样别人就没法进入马厩了。

“这下我们都有温暖的屋子了！”爸爸高兴地说。以后，我们的邻居会慢慢多起来，晚上最好把马匹关好。因为，有鹿的地方就会有狼，有马的地方就会有偷马贼。

吃晚饭时，爸爸对妈妈说：“等我帮爱德华把房子建好后，我就马上把壁炉修起来，这样你就可以在屋里做饭，免得在外面忍受着风吹日晒做饭，因为总是会有坏天气的。”

“是的，”妈妈说，“没有一个地方永远都是好天气。”

第九章

修建壁炉

爸爸把木屋里紧靠山墙的一小块地方清理干净，把地弄平整，他准备在这里修一个壁炉。修壁炉需要用石料，于是，爸爸把车厢重新安装到马车上，把彼得和帕迪套上车。

太阳渐渐升高了，无数云雀从草原上飞向天空，在空中一齐高声唱歌。辽阔的大草原上，风在吟唱，草在伴舞，数不清的迪基鸟在草丛和鲜花间跳跃。彼得和帕迪仰起脖子迎风嘶叫，用蹄子刨地，渴望早点上路。爸爸一边吹着口哨，一边爬上马车，他低头看了看车下的萝拉和玛丽，问道："你们两个想跟我一起去吗？"

在征得妈妈的同意后，她们便攀着车轮的轮辐兴奋地爬上马车，和爸爸并排坐在马车高高的座位上。爸爸一抖缰绳，彼得和帕迪便拉着马车轻快地向前走去。

马车很快就来到了小溪边，走进了高低起伏的溪边低地。这里有很多小土丘，有的小土丘上长满了树木，有的则长满了青草。他们看到很多鹿，有些鹿躺在树荫下乘凉，有些鹿正在草地上吃草。看见马车过来，鹿群都抬起头，用温柔的大眼睛盯着他们看。

一路上到处都是开着粉红、浅蓝和白色小花的翠雀草；小鸟儿在秋麒麟草随风摆动的白色花羽上荡着秋千；蝴蝶在眼前飞来飞去；盛开的雏菊在树荫下形成鲜明的明暗反差；小松鼠们在头顶的树枝上窃窃私语；白尾巴的兔子跳跃着奔向远处；蛇一见马车过来，便迅速钻进草丛中躲了起来。

来到溪边的最低处，马车停了下来。萝拉四处张望着，向爸爸问道：“印第安人的营地在哪儿？”因为爸爸说过，他在红土崖这里看见过印第安人的营地。但是爸爸没有回答她的问题，他得赶紧找石头，以便早点把壁炉修起来。

“你们自己玩吧，”爸爸说，“但是不能跑远，不要玩水，也不要去招惹蛇。这里有不少毒蛇。”

于是，萝拉和玛丽便在溪边玩起来。爸爸在溪边挖石头，并把挖出来的石头装到车上。

溪边真好玩。她们看到长着长腿的水蝽在明净的水面上划来划去。她们在溪边奔跑，岸边的青蛙被她们惊起，扑通扑通地跳进水里，她们开心地大笑起来。一群群的小鱼在清浅的小溪边游来游去，在细细的水波下映出一道道灰色的影子。

溪边一丝风也没有，空气中散发着潮湿的泥土的气息，四周很安静，只能听到高处树叶的沙沙响和潺潺的流水声。

天气有点热，萝拉想把脚伸到水里冰凉一下，她刚这样做，爸爸便转过头看到了。

“萝拉！”爸爸叫她。萝拉吓得赶紧把刚伸到水里的脚缩了回来。

“你们可以在水浅的地方玩，水超过脚踝的地方不能去。”玛丽和萝拉找了一处很浅的地方下水玩，玛丽嫌溪底的石子硌脚，玩了一小会儿就上岸了，在一个大树墩上坐着。萝拉很喜欢在水里玩，她在水里小心翼翼地迈着步子，成群的小鱼在她的脚边游来游去，用它们的小嘴轻轻地咬她的脚趾头，感觉痒痒的，非常有趣。萝拉想要抓住一条小鱼，可是她刚要去抓，小鱼就游跑了，鱼没有抓到，反倒把裙子弄湿了。这时，爸爸已经在马车上装满了石头，他喊道：“回家了，孩子们！”她们重新爬上马车，沿着来时的小路向家走去。那天下午，萝拉和玛丽兴致勃勃地在一旁看爸爸怎样垒壁炉。爸爸先在一个木桶里搅拌一些黏稠的稀泥巴，然后在木屋靠着山墙的地面上铺上一层石块，这些石块三面相连，和山墙一起构成了一个四方形。爸爸用一只木铲把稀泥巴抹在石块上，然后在上面砌上第二层石块，然后再在石块上面抹上泥巴。就这样，石块越垒越高，壁炉的主体很快就垒好了。然后，他在地上摆放一根粗大的圆木，让它紧挨着墙壁，然后往圆木上抹了很厚的泥巴。接下来，他在这根圆木上一层一层地砌起石块来，他现在是在砌烟囱了，烟囱越往上越细。

石块用光了，爸爸又去溪边拉了一车回来，这次萝拉和玛丽没有跟爸爸去，因为妈妈说溪边湿气大，担心她们患上热病。直到第二天，爸爸才把烟囱砌好，它现在和木屋一样高了。

“你真能干，一个人把烟囱砌得这么高。”妈妈说，“现在好好休息一下吧。”

可爸爸说干活不能偷懒，壁炉还没有完工，他还有很多活儿要做。爸爸又走进木屋，用斧头和锯子在外面砌的石头周围正对着木屋墙壁上挖一个洞。当他把那块地方的圆木全都锯掉后，一个壁炉就出现在屋子里。

这是一个很大的壁炉，足以把萝拉、玛丽和小嘉丽全都装在里面。壁炉的底部就是爸爸先前清理出来的那块空地，壁炉的正面就是木屋墙壁上被爸爸锯掉圆木的那个墙洞，壁炉内侧的顶部就是那个大圆木，爸爸已经在上面抹了一层厚厚的泥巴。爸爸在壁炉两侧木墙的切口上各钉上一块厚橡木板，然后，在壁炉口两个上角各钉进一根结实的橡木棍，再把一块橡木板搭在木棍上，钉结实，就成了壁炉台。

壁炉一搭好，妈妈就把一个小妇人瓷像放到壁炉台的中央，这个瓷像是从大森林里的小木屋带过来的，跟着他们一路跋山涉水而没有被损坏。

壁炉全部完工了，爸爸、妈妈、萝拉和玛丽一同欣赏他们的新壁炉，只有小嘉丽不关心壁炉，她用手指着小妇人瓷像大声喊叫，想要拿来玩。但是瓷像很容易摔坏，她现在可不能玩。“我会尽快砍些木板把屋顶盖好，”爸爸对妈妈说，“这样你烧火做饭时，就不用担心把火星弄到屋顶的帐篷上了。”妈妈在新壁炉里小心地生了一小堆火，在木屋里做了第一顿饭，她烤了一只野鸡作为晚餐。那天晚上，一家人第一次在这个屋子里吃饭。爸爸做了一张简易餐桌，它是用两块橡木板搭起来的，橡木板的一端插进墙缝，另一端搭在地上的大木墩上。妈妈在木板上铺了一块桌布，一张餐桌就做成了。椅子是几个大木墩。条件虽然有点简陋，但是一家人却充满了欢乐。大家围坐在餐桌旁，感到很新鲜，津津有味地吃着烤野鸡。大家都感到很惬意，能够再次住进木屋里真幸福。

第十章

盖屋顶和铺地板

萝拉和玛丽钻进高高的草丛中寻找鸟窝，她们一旦发现鸟窝，准备靠近时，鸟妈妈就会尖叫起来。她们用手轻轻碰一下鸟窝，幼鸟以为是鸟妈妈来喂食，全都张大嘴巴，喳喳地叫着往窝边挤。这时，鸟妈妈立刻飞过来大叫着保护它的孩子们，玛丽和萝拉喜欢小鸟，并不想伤害它们，于是就悄悄地走开了。

她们在草丛中还发现了一群草原野鸡的小鸡雏，它们长着光滑的棕色绒毛，鸡妈妈咯咯地叫个不停，它们在鸡妈妈身边跑来跑去地啄食吃，可爱极了。她们还发现了蛇，她们看到身上带条纹的蛇：有的在草丛中滑动；有的则伏在草中一动不动，不停地吐着信子。这种蛇叫束带蛇，没有毒。但萝拉和玛丽从不去碰它们，因为妈妈告诫她们要离蛇远一点。

有时候，她们还会发现一只大灰兔一动不动地蹲在草丛中，它和草的颜色差不多，你只有走到它跟前，才能发现它。它瞪着圆眼睛看着你，鼻子在不停地抽动，全身长着又厚又软的毛，让你禁不住想上前轻轻地抚摸一下它。然而，它一看到你蹲下身来，就立刻像闪电一样跑掉了。

萝拉和玛丽每天都要照看小嘉丽，只有当她睡觉时才不需要照看。有一天下午，小嘉丽睡着了，她们坐在草地上享受着温暖的阳光和阵阵凉风。

妈妈从屋里走出来，看着她们说："你们怎么不戴遮阳帽，想当印第安人吗？"

萝拉没有回答妈妈，抬头问道："爸爸，我们什么时候才能看到'帕普斯'呀？"

"你怎么一天到晚总想看印第安婴儿呀？"妈妈说，"把你的遮阳帽戴上，从现在起，不许再提什么'帕普斯'了。"

萝拉把背后的遮阳帽往头上一拉，帽檐把脸都给遮住了。她虽然戴上了遮阳帽，可心里还在想着"帕普斯"：这是印第安人住的地方，为什么到现在还没见到一个印第安人的影子呢？她知道她迟早会见到他们，但是她不知道还要等多久。

爸爸把篷布从屋顶上撤了下来，他准备要建屋顶了。前几天，他又砍了很多木头，把它们劈成又薄又长的木板，堆在木屋周围。

爸爸先把一些小树干钉在两面墙上，当作木椽。木椽全部钉好之后，他伸手把一块木板拉到屋顶，把它竖着搭在木椽上，木板的边缘伸出墙外一点儿。然后，他把几根铁钉叼在嘴里，拿出插在腰间的锤子，开始往木椽上钉木板。

钉子是爱德华先生给他的。他们前几天在树林里砍木头时碰见了，爱德华先生坚持要把一些钉子送给爸爸建房子用。可是爸爸说他只是借用，等他以后去独立镇上买来钉子了，他要如数还给爱德华先生。爸爸说，他不能无故受人恩惠。

爸爸一只手从嘴里拿出钉子，一只手拿着锤子，随着砰砰的敲击声，钉子被钉进了木板里。比起木钉来，铁钉就是方便，至少不用钻孔了。湿橡木很坚实，锤子敲上去，钉子常常会跳开，有的还会飞到空中。

玛丽和萝拉一看到钉子飞起来，便连忙到草丛中去把它找回来，再递给爸爸用。有的钉子被钉弯了，爸爸还会用锤子把它砸直了接着用。爸爸说，每一个钉子都不能浪费。

钉了两块木板后，爸爸就坐在木板上，继续往上面钉木板，一直钉到最顶端的木椽上。爸爸钉木板的时候，每块木板的边缘都压着下面木板的边缘，就像缮瓦片一样，一块压着一块，这样一来，木板之间就没有缝隙了。

接着，爸爸开始往屋顶的另一边的木椽上钉木板，也是从下往上钉，一直钉到最顶端的木椽上。这时，在两侧的最高的两块木板之间，由于没有别的木板压着，就留下一条缝隙。于是，爸爸就用两块木板做成一个"V"形的凹槽，把它倒过来牢牢地钉在最高的两块木板上，这样一来，缝隙就没有了。

屋顶终于建好了。阳光从房顶透不过来，屋子里比之前暗了一些，但是这样雨水也漏不进来了。

接下来，爸爸还要铺地板和做家具。他又开始去溪边砍木头了，一连砍了很多天，砍了很多木头。他随身带着枪，傍晚回家的路上，碰到小动物了就打几只带回来。

木料砍够了，爸爸便开始劈木头，他把每根圆木都从中间劈成两半。等把所有的圆木都劈好了，爸爸就开始铺地板。他先把劈好的木头一根一根地拖到屋里摆放整齐，让平的一面朝上。然后，他用铁铲在地上挖了几道浅沟，使之刚好可以把木头半圆形的一面嵌进去。他拖起一根木头，用斧头削掉树皮，把木头的两边削直，保持一样的宽度。这样一来，木头连接在一起的时候，中间才会不留缝隙。

接下来，爸爸用手握住斧头的顶端，把每根木头表面不平整的地方一点点地削平。他眯起一只眼睛，检查木头哪里还有不平整或有毛病的地方，全部把它修整好。最后，他用手掌在光滑的木头上摸了一遍，满意地点了点头。

“一根毛刺都没有了！”他说，“小脚丫可以在上面跑了。”

爸爸把那根修整好的木头固定在地面上，又接着修整下一根木头。一连干了几天，地板全部铺好了。爸爸在壁炉前面留下了一小块地面没有铺地板。这样，从壁炉里进出来的火星就不会烧到地板。整个地板既光滑又稳固还干净，可以光着脚在上面走，他们再也不用踩在泥土地上了。

地板铺好后，爸爸又开始填堵墙上的缝隙，他找来很多薄木片，把缝隙一个个塞实，然后再用泥巴把它们都堵严实。

小木屋终于彻底完工了。那天晚上，一家人都很开心。壁炉里的火烧得正旺，新铺的地板在火光的映照下温暖无比。屋外，浩瀚的夜空里群星闪烁，爸爸坐在门口拉小提琴、唱歌给大家听，也给夜空中的星星听。

第十一章

印第安人来到小木屋

一天早晨，爸爸带上枪准备出去打猎。杰克也想跟爸爸一起去，它以可怜的眼神望着爸爸，喉咙里呜咽着，好像都快要哭了。但是，爸爸还是把它拴在了马厩边。

“你不能去，杰克，”爸爸说，“你必须留下来看家。”然后，爸爸又对玛丽和萝拉说：“不要放开它，孩子们。”说完，爸爸就出门了。

可怜的杰克躺在草地上，看起来非常难过。萝拉想要安慰杰克，可是杰克根本不理她。玛丽和萝拉觉得，在杰克不高兴的时候应该多陪陪它。于是，整个早上她们都在马厩旁陪着杰克。她们陪杰克玩，不时地逗着杰克。

萝拉让杰克的头枕在自己的腿上，正和它说着话。突然，杰克站了起来，大声吼叫着，脖子上的毛都竖了起来，眼睛泛着红光。

萝拉吓了一跳，她扭过头，顺着杰克的吼叫的方向看去，她看到有两个印第安人，一前一后地朝着木屋走来。

“玛丽，快看！”萝拉喊道。玛丽也看到了他们。

他们长得又高又瘦，神情凶恶，皮肤是红褐色的，眼睛是黑色的，闪着亮光，头上插着鲜艳的羽毛。

他们越走越近，然后走到木屋的另一边，被小木屋挡住看不见了。

“印第安人！”玛丽小声说。萝拉浑身在发抖，她感到两腿瘫软无力，只想坐下来。杰克这时不叫了，它的眼睛通红，嘴唇后翻，后背上的毛全都竖了起来；它不停地跳跃，用爪子抓地，拼命想挣脱锁链。萝拉暗自庆幸，幸亏有锁链锁着它。

“有杰克在，”萝拉小声对玛丽说，“它不会让他们伤害我们的。”

“他们进到屋子里了，”玛丽低声说，“妈妈和小嘉丽还在屋里呢。”

萝拉全身都在颤抖，她不知道两个印第安人会对妈妈和小嘉丽怎么样。奇怪的是木屋那边一点动静也没有。

“他们进去干什么？”萝拉问道。

“我也不知道！”玛丽小声回答。

“我想把杰克放开，”萝拉声音嘶哑地小声说，“让杰克把他们赶走。”

“爸爸不让我们放开杰克。”玛丽说。

她们都很害怕，不敢大声说话，把头凑到一起，一起观察木屋的动静。萝拉觉得不能把妈妈和小嘉丽留在木屋里不管，就说：“我要进去帮助妈妈！”她向前跑了两步，然后又转身跑到杰克身边。她一把抱住杰克，把脸埋在杰克身上。“我们不能留下妈妈不管。”玛丽小声说。可是她吓得浑身发抖，站在原地不敢动弹。

萝拉松开杰克，站起身，紧握拳头，微闭着眼睛，向木屋跑去。她不小心绊了一跤，赶紧爬起来，继续往木屋的门口跑去。玛丽这时紧跟在她身后。她们跑到门口，门是开着的，她们悄悄地溜进了屋。

那两个印第安人就站在壁炉旁边，妈妈正弯着腰在炉火上烤东西。小嘉丽两只小手紧紧抓住妈妈的裙角，把脸藏在妈妈的裙褶里。

萝拉朝妈妈跑去，她快跑到壁炉边时，突然闻到一种非常难闻的气味。她抬头看了一眼两个印第安人，然后赶紧躲进靠墙立着的一块长木板后面。

她双脚并拢，站直身子，把鼻子顶在木板上，这样印

第安人就看不到她了。她觉得安全了一些。但她还是忍不住把头偏出一点点，只露出一只眼睛偷看那两个印第安人。

他们穿着鹿皮鞋，往上是布满青筋的红褐色的长腿。再往上看，他们的腰间都系着一条皮带，一块黑白条纹的皮毛挂在皮带前面。那是两张刚剥下来的臭鼬的皮，现在萝拉知道气味来自哪里了。他们的皮带两侧挂着猎刀和短柄小斧头。他们的肋骨微微突起，两人的手臂都交叉着放在胸前。他们奇丑无比，凶神恶煞，很是吓人。这时，他们也转过头来用眼睛瞪着萝拉看。萝拉的心怦怦直跳，好像要从嗓子里跳出来了。他们就这样对视着，两个印第安人一动不动，连脸上的肌肉都不动一下，只有发亮的黑眼睛在盯着她。萝拉也不敢动弹，她觉得连呼吸都要停止了。这时，一个印第安人说了一句她听不懂的话，另一个印第安人回应着。萝拉吓得把赶紧把头缩了回去。

她听到妈妈掀开锅盖的声音，过了一会儿，又听到印第安人吃东西的声音。

这时，萝拉又伸出头来看，她看到两个印第安人蹲在地上，把玉米饼全吃光了，甚至连掉在地板上的饼渣都捡起来吃了。妈妈站在一旁看着他们吃，一只手摸着小嘉丽的头。小嘉丽紧紧地抓着妈妈的衣服，躲在妈妈身后。

萝拉隐约听到杰克的铁链声，它还在试图挣脱铁链。

两个印第安人吃完东西后，站起身来。其中一个印第安人不知道说了一声什么，妈妈一声不吭，瞪大眼睛看着他。这个印第安人转过身，另一个印第安人也跟着转过身，他们穿过门口，走了出去。

妈妈长吁一口气，她一只手搂着萝拉，另一只手拥着玛丽，透过窗子看着两个印第安人离去。他们一前一后地沿着那条模糊不清的小路朝西走去。妈妈坐到床上，把萝拉和玛丽紧紧地搂在怀里，浑身发抖。

“妈妈，你哪里不舒服吗？”玛丽问。

“没什么，”妈妈说，“他们终于走了。”

姐妹俩告诉妈妈，她们担心印第安人会伤害她和小嘉丽，就把杰克留在外面，赶快跑进了屋。妈妈夸奖她们很勇敢。

“我们该做午餐了，”妈妈说，“爸爸快回来了。玛丽，抱点柴火进来。萝拉，你去把餐桌收拾一下。”

妈妈卷起衣袖，洗洗手，开始做饭。玛丽出去抱木柴，萝拉开始收拾餐桌。她在爸爸和妈妈的座位前各摆上一副锡盘、刀叉和杯子，把小嘉丽的小锡杯摆在妈妈的餐具旁边。她在自己和玛丽的座位前各摆上锡盘和刀叉，她俩共用的杯子摆在两个锡盘中间。

萝拉刚把餐具摆好，爸爸就回来了。他打了一只野兔和两只野鸡，把它们放在门外。萝拉和玛丽跑上前去，争先恐后地告诉爸爸家里来了印第安人的事情。

“印第安人？哦，这么说你们终于见到印第安人了，是不是？我看到他们在西面的一个小山谷里搭了一顶帐篷。有印第安人来过我们家里吗，卡洛琳？”

“来过，查尔斯，有两个，”妈妈说，“他们把你的烟草都拿走了，还吃了很多玉米饼。他们指着玉米粉，打手势让我做给他们吃。我不敢不做。噢，查尔斯！可把我给吓坏了！”

“你做得很对，”爸爸说，“我们要和印第安人搞好关系。”

“我们的玉米粉快被他们吃光了。”妈妈说。

“没关系。草原上有很多动物，我们有吃不完的肉。别担心，卡洛琳。”

“他们把你的烟草都拿走了。”

“不要紧，”爸爸说，“等我去独立镇时再买一些。重要的是，我们要和印第安人处好关系。”

“玛丽，萝拉，”爸爸说，“趁午饭还没有做好，快来帮我剥兔子皮，拔野鸡毛。干完我们就吃饭，我可真是饿了！”

微风中，阳光下，他们坐在柴堆上，萝拉帮爸爸拽着兔子皮，爸爸用锋利的猎刀把皮一点点剥离。

“我要往兔皮上抹一层盐，把它钉在木屋上风干，”

爸爸说，“到明年冬天，你们每人就会有一顶暖和的皮帽子戴啦。”萝拉对爸爸说，印第安人来的时候，要是她们把杰克放开，杰克就会冲上去狠狠地咬那两个印第安人。爸爸放下手里的猎刀。“你们原本打算这么做的，对吧？”他厉声问道。

萝拉低下头，小声回答：“是的，爸爸。”

“我是不是告诉过你们不许放开杰克？”爸爸大声问道。

萝拉不说话。玛丽哭着说：“你说过的，爸爸。”

爸爸好半天没有再说话。过了好一会儿，他终于严肃地说道：“今后你们要按照我说的话去做，记住没有？”

“记住了，爸爸。”萝拉和玛丽一起小声回答。

“你们知道把杰克放开后会有什么后果吗？”爸爸问。

“不知道。”她们小声回答。

“杰克会去咬印第安人，”爸爸说，“那样我们就有大麻烦了，知道吗？”

“他们会杀死杰克吗？”萝拉问。

“远不止这些。今后不管发生了什么事，你们都要按我的话去做，这样你们就不会受到伤害。”

“知道了，爸爸。”她们齐声说。她们都很庆幸今天没有把杰克放开。

第十二章
挖水井

爸爸现在开始做床了。他先找来四块橡木板，把表面削得很光滑，然后把它们牢牢地钉在一起，并在木板的四边做了四个边框，以便用来容纳麦秸褥子。然后，他用一根绳子呈“之”字形捆绑在床板的底部，绳子绷得紧紧的。

爸爸把床板靠紧墙角，把两边都牢牢地钉在墙壁上，这样一来，只剩下一个床角没有靠墙。爸爸在这个床角处钉了一块很高的木板。然后，他又把两根木条呈水平方向钉在这块木板与墙壁中间。然后，他再爬上去站在木条上，把木板顶部钉在屋顶的一根木椽上。最后，他又在这两根木条上钉了一块木板，用来摆放物品。

“床做好了，卡洛琳！”爸爸说。

“总算做好了，”妈妈说，“快帮我把褥子铺上去。”

妈妈做了一个褥子，里面塞满了干燥又洁净的干草。爸爸帮妈妈把褥子抬进屋，铺到床上。妈妈在褥子上铺上床单、被子和枕头。这真是一张很舒适的床，这样一张床摆在那里，为整个屋子增添了温馨的家庭气氛。

那天晚上，爸爸、妈妈和小嘉丽睡在床上，玛丽和萝拉仍然睡在地板上，爸爸说他会尽快给她们做一张小床。

现在，爸爸已经做了一张大床和一个橱柜，他在橱柜上面装了一把锁。下次印第安人来了，就没法拿走里面的玉米粉了。爸爸想到独立镇上去，但是他走之前先要打一口井，这样他不在家时，全家人才会有水用。

第二天早晨，爸爸在木屋外边的墙角边画了一个大圆圈，然后用铁锹开始挖井。爸爸越挖越深，慢慢地整个人都看不见了，只见一锹一锹的土从坑底飞出来。最后，爸爸把铁锹扔了出来，他从坑底往上一跳，用手抓住地面，露出头来，再一用力，就从坑里爬了出来。

坑太深了，爸爸往上扔土很吃力，现在必须要找个人帮忙了。爸爸把斯科特先生请来了。斯科特先生个子不高，却很健壮，他的皮肤被晒得通红。他们两个商量好，等斯科特先生帮爸爸挖好这口井，爸爸再去帮助斯科特先生挖他家的井。

每天早晨，萝拉帮妈妈干完家务后，就跑去看爸爸和斯科特先生挖井。不过，她只能远远地站在一边看，爸爸不允许她靠近井口。

爸爸和斯科特先生做了一个辘轳，架在井口上。辘轳上缠着粗绳子，绳子两头各系着一只吊桶，辘轳转动时，一只吊桶就会往下降，另一只吊桶就会升上来。每天上午，斯科特先生顺着绳子下到井底负责挖土，然后装在吊桶里，每装满一桶，爸爸就迅速把吊桶摇上来，同时把空吊桶放下去。到了下午，他们两个进行换工。

每天早晨，在斯科特先生下去挖土之前，爸爸都会先在吊桶中放一支蜡烛，把它点着，然后放到井底，看看蜡烛是否会熄灭。

“不用这么麻烦，查尔斯，”斯科特先生说，“昨天我下去都没问题。”

“不能这么说，”爸爸说，“还是小心谨慎为好。”

萝拉不知道爸爸为什么要这么做，她没有去问，因为爸爸和斯科特先生都忙着呢，她打算以后找时间再问。

一天早晨，斯科特先生来的时候，爸爸还在吃早餐。斯科特先生跟爸爸打了声招呼，就到井边干活去了。不一会儿，爸爸吃完早餐，也去干活了。

萝拉和玛丽在洗餐具，妈妈在整理床铺。这时，她们突然听到爸爸在喊叫：“斯科特！斯科特！斯科特！”接着他又大喊道：“卡洛琳！快过来！”

妈妈冲了出去，萝拉跟在她身后。

“斯科特叫不应，他在下面可能出事了，”爸爸说，“我得下去看看。”

“你有没有先点一支蜡烛放下去试试看？”妈妈问。

“没有，他先来的，我以为他试过了。”爸爸说着，就要下去救人。

“查尔斯，你别下去。”妈妈说。

“卡洛琳，我得下去看看。”

“你不能下去。噢，查尔斯，不！”

“我不会有事的，我们不能不管他。”

妈妈声嘶力竭地央求道：“不，不，查尔斯！你不能下去，你赶紧骑着帕迪去找人帮忙。”

“来不及了，卡洛琳，我必须下去！”爸爸说。他抓住井绳跳进井里，一下子就没了影。

妈妈趴在井边，用手遮住太阳，朝井下看。萝拉站在旁边，感到浑身发冷。

突然，妈妈跳起身来，抓住辘轳的摇把，拼尽全身力气转动辘轳。井绳被绷得很紧，辘轳发出嘎吱嘎吱的响声，慢慢地转动着。

终于看见爸爸了，他的手紧紧地抓着井绳，快到井口时，他扶住辘轳，一下子就上来了，坐在了地上。

妈妈松开摇把，辘轳快速转了回去，井底传来砰的一声。爸爸挣扎着想站起来，妈妈说："坐着别动，查尔斯！萝拉，快去弄些水来，快！"

萝拉跑回木屋取水，当她提着水桶跑回来时，爸爸和妈妈正一起转动辘轳。斯科特先生被摇上来了，绳子绑在他的腰间，他的胳膊、腿和脑袋都下垂着，他的嘴巴半张着，眼睛半闭着。

爸爸把他放到地面上，他的身体软绵绵的，一点知觉也没有。爸爸摸摸他的脉搏，然后又听听他的心跳。"他还有心跳，"爸爸说，"呼吸一下新鲜空气就会好的。我没事，卡洛琳，就是感到浑身瘫软，我得休息一下。"

"天哪！"妈妈埋怨说，"太冒险了！你简直是蛮干！我的老天，快把我吓死了，天哪，我……"妈妈用围裙捂住脸，失声痛哭起来。

原来，斯科特先生是由于吸入过量的二氧化碳而中毒昏迷在井底了。这种气体比空气重，所以沉积在井底，无色无味，人根本察觉不出来。人在不知不觉中吸入这种气体，就会陷入昏迷，如果救治不及时，人就会丧命。爸爸刚才下到井底，完全是冒着生命危险把绳子绑在斯科特先生身上，才把他拉上来。

斯科特先生好在中毒不深，他很快就苏醒了过来，休息了一会儿就没事了。今天出了这档子事，他要先回家了。临走前，他对爸爸说："查尔斯，你说得对，下去之前是应该先用蜡烛试一试。我以前总认为这样做完全多余，看来是我错了。"

"是啊，"爸爸说，"要是蜡烛熄灭了，人肯定不能下去。不管做什么事，安全第一。"

爸爸休息了一会儿，也没事了。那天下午，爸爸找来一根麻线，用一小块布包了一小包火药，他把麻线的一头塞在火药里。

到了井边，爸爸把麻线点着，等到快要烧到布包时，他把布包扔进井里。井里立刻传来砰的一声闷响！一股刺鼻的烟雾从井里冒出来。"这样可以让这种气体从井里散发出来。"爸爸告诉萝拉。

等烟雾散尽后，爸爸把一支蜡烛放到木桶里，点燃后，慢慢放到井里。一直放到井底，蜡烛都一直在燃烧着，没有熄灭。

第二天，爸爸和斯科特先生继续挖井，不过，现在他们在下去之前，都会点燃一支蜡烛放进井里做试验。

井里开始有水涌出来了，不过还不多，吊桶现在吊上来的全是稀泥。爸爸和斯科特先生现在每天都站在越来越深的泥水中工作。

一天，爸爸正在井底挖泥时，一阵很大的声音突然从井底传上来。“快往上拉，斯科特！快往上拉！”爸爸大喊道。斯科特先生赶紧转动辘轳摇把，奋力摇动，爸爸很快就爬了上来。

爸爸浑身全是泥水。“我敢打赌，那一定是流沙！”爸爸气喘吁吁地说，“我正在挖土，土层突然往下陷，水立刻就从周围涌过来了。”

“查尔斯，你反应真够快的！”斯科特先生说，“天哪，在危急关头你竟然没忘记把铁锹带上来，我真佩服你！”

确实，爸爸是带着铁锹上来的。

不一会儿工夫，井里就涌满了水。在离地面不远的地方映出一片圆圆的蓝天。萝拉探头朝下望去，一个小女孩也正从下面朝上望着她。萝拉摆摆手，水面上的小女孩也朝她摆摆手。

井水清澈、凉爽又甘甜，比溪水好喝多了，萝拉从来没有喝过这么甘甜的水。爸爸在井口修了一个井台，还做了一个沉重的井盖，平时不用时盖着，取水时再把井盖移开，这样既安全又方便。

第十三章
牛仔和牛群

一天晚上，萝拉准备睡觉了，这时，她突然听到了一种从远方传来的陌生而低沉的声响。“那是什么声音?”萝拉问爸爸。爸爸仔细听了听，说：“一定是往北面道奇堡那边走的牛群的声响。”萝拉穿着睡衣站在窗前，外面什么也看不到，四周寂静无声，没有一丝风，那种若隐若现的声音，好像是隆隆的战鼓声，又好像是低沉的歌声。萝拉想象着牛仔们赶着牛群行走在草原上的情景。

第二天早上，萝拉走出小木屋时，看见马厩旁边有两个陌生人，他们骑在马上，正在和爸爸谈话。他们的皮肤是红褐色的，眼睛眯成一条线，脚上穿着带马刺的鞋子，头戴宽檐帽子，脖子上系着围巾，屁股后面挂着手枪。他们对爸爸说：“那就这样说定了，再见！”然后便骑马奔驰而去。

爸爸对妈妈说，刚才那两个人是牛仔，他们想让爸爸帮他们赶牛，防止牛跑进土崖之间的沟壑里。爸爸答应了他们，他不要他们的钱，只要一块牛肉作为报酬。

马上就有牛肉吃了，妈妈显得很高兴。爸爸把他的长围巾系在脖子上，这样在赶牛时就可以掩住口鼻，防止牛群扬起的灰尘吸进体内。随后，他骑着帕迪，沿着印第安人走过的小路朝西面去了。天很热，火辣辣的太阳烤着大地，连刮的风都是热风，远处不时传来牛群的声音。中午时分，天边扬起一大片灰尘，妈妈说那是牛群经过时扬起的尘土。

太阳下山的时候，爸爸骑着马回来了。他的头发、睫毛、胡须上都沾满了灰尘，衣服上也有很多尘土。爸爸说牛群走得很慢，它们走走停停，边走边吃草，今天还没有渡过小溪呢，所以任务还没有完成，明天还要去。

爸爸很劳累，他吃完晚餐便倒在床上睡着了。

牛群现在离他们很近了，萝拉能清楚地听见牛群的叫声和牛仔们高亢的歌声。萝拉躺在床上久久不能入睡，等大家都睡着后，她悄悄地溜到窗边，看到远处有三堆营火，牛仔们的歌声时高时低，在草原上回荡；牛群偶尔发出几声哞哞的叫声；静谧的夜空中有几颗稀疏的星星，月光如水，清澈而明亮。

第二天，萝拉和玛丽正往西边张望着牛群，突然有十几头牛冲出牛群，朝小溪这边跑来，看样子可能是想去喝水。它们竖着尾巴，雄壮的长角向前伸着，牛蹄子重重地踏着地面，一个劲儿地往前跑。一个牛仔骑着马快速冲到它们前面，他挥舞着手中的帽子，叫喊道："吁！伊——伊——伊！吁！"这些牛被迫掉转身体，朝着牛群走去。牛仔骑着马在牛群后面不停地驱赶着，把牛聚拢到一起，不让它们走散。

萝拉学着牛仔的样子，挥舞着遮阳帽，在地上跑来跑去，嘴里喊着："吁！伊——伊——伊！"妈妈出来制止了她，说要有淑女的形象，不能这样大喊大叫。可是，萝拉真希望自己能成为一名牛仔。傍晚时分，西边走来三个骑马的人，其中一个是爸爸，另外两个是牛仔。他们一同赶着一头母牛，母牛身后还跟着一头身上带斑点的小牛。小牛倒不费劲，可是那头母牛很不听话，他们费了很大力气才把它们赶到了马厩旁。爸爸把母牛拴在了马厩上，两名牛仔跟爸爸道声再见，便骑马离开了。大家都不相信自己的眼睛：爸爸居然带了一头母牛和一头小牛回来了！可是这又千真万确，他们真的有了属于自己的母牛了。爸爸说，牛仔们嫌小牛太小，走不了远路，母牛又太瘦，卖不了好价钱，于是他们干脆把它们一起送给爸爸了，另外他们还送给了爸爸一大块牛肉。爸爸和妈妈、玛丽、萝拉，大家都很高兴，甚至连小嘉丽都开心地笑起来。因为他们有两头属于自己的牛了。

“把水桶拎出来，卡洛琳。”爸爸说，“我现在就要动手挤些牛奶给你们喝。”

爸爸接过水桶，走到母牛身边蹲下身来，准备要挤奶。可是，母牛把身体往后一弓，两只后蹄向后踢去，把爸爸踢了个仰面朝天。

爸爸从地上跳起来，气得满脸通红，他生气地说：“我发誓，我一定要挤到牛奶！”

爸爸找来斧子，砍了两根橡木桩打入马厩墙边的地里，然后又找来几根木棒，在木桩和墙壁之间做了一个围栏。最后，他把母牛赶进了围栏，这样母牛在围栏中就不能随便移动了。这时，小牛钻到母牛身子底下开始吃奶，爸爸从围栏的这边把手伸进去挤奶，不一会儿，他就挤了一大杯牛奶。

“这个家伙像头野鹿一样粗野，不过我会让它驯服的！”爸爸说，“明天，我给母牛搭建一个高大又坚固的牛栏，狼就进不去了。”一家人开始吃晚餐，晚餐有牛排和牛奶。大家都赞同把牛奶给小嘉丽喝。妈妈把牛奶杯子端到小嘉丽嘴边，他们看着她喝牛奶。她仰起脖子，咕咚咕咚地把一杯鲜牛奶全喝光了，又伸出舌头把嘴边的奶沫都舔进嘴里，然后开心地笑起来。大家都很开心，从现在起，他们有牛奶喝了，说不定以后还有奶油吃呢。

第十四章

看看印第安人的营地

天气一天比一天热，连刮的风都是热风，就像从火炉里吹出来的一样。现在正是仲夏时节。有一天，爸爸无事可做，就问萝拉和玛丽想不想去看一看印第安人走后留下的营地。萝拉和玛丽高兴得又是拍手又是跳，可是妈妈却表示反对。“太远了，查尔斯，”她说，“天气又很热。”爸爸眨了眨眼睛，说：“印第安人都不怕热，我们也不怕。走吧，孩子们！”“爸爸，让杰克也跟上去，好吗？”萝拉请求道。

爸爸已经把枪拿在手上，他看看杰克，又看看妈妈，然后把枪挂回原处。“好吧，”他说，“把杰克带上去，卡洛琳，把枪留给你。”杰克兴奋得直摇尾巴，在他们身边跳来跳去。它在前面跑，爸爸带着玛丽和萝拉跟在后面。玛丽戴着遮阳帽，萝拉却把遮阳帽垂到背后。

萝拉和玛丽光脚走在晒得发烫的地面上，火辣辣的太阳晒得胳膊和后背发疼。空气中热浪滚滚，闻起来有点像烤面包的气味，爸爸说那是草籽被太阳烘烤散发出的气味。

他们走了很远一段路，终于走进印第安人扎营的那个小山谷。萝拉和玛丽紧贴在爸爸身边，向四周张望。谷地的四周长满了茂盛的灌木：鹿角树的枝头挂着一串串诱人的粉红色浆果；毒漆藤上结了许多青色的果实，它那红色的叶片向四处攀爬；秋麒麟草的白色花羽正在变成灰色；牛眼菊的黄色花瓣正在凋谢。萝拉紧紧地抓住爸爸的一只手，玛丽抓着爸爸的另一只手，他们一起向谷地里走去，来到印第安人留下的营地前。地上有一堆灰烬，还有几个印第安人搭帐篷时留下的小洞。印第安人的狗吃过的骨头散落在地上，营地上有很多大大小小的鹿皮鞋印，还有光着脚的小孩儿留下的脚印，此外还有各种动物留下的足迹。爸爸从地上捡起一根被烟熏黑的树杈，说印第安人通常会在地上竖起两根树杈，把一根木棍架在两个树杈上，把锅吊在这根木棍上。接着，他还指着树杈插在地上留下的小洞给玛丽和萝拉看。

这时，萝拉在灰烬里发现了一个蓝色的发亮的东西，她捡起来，发现是一颗漂亮的蓝色珠子。萝拉顿时高兴地喊叫起来。接着，玛丽也找到了一颗红色的珠子，萝拉又看到一颗绿色的珠子。她们现在只顾着找珠子了，爸爸也帮她们找。他们又发现了其他颜色的珠子，但是更多的是红色和蓝色的珠子。整个下午，他们都在印第安人的营地里找珠子，他们把这里的每个角落都找遍了。

后来，他们再也找不到珠子了，这时太阳也快要下山了。萝拉和玛丽的手里各攥着一把珠子，爸爸把这些珠子用手帕包起来，装进口袋里，然后带着她们回家了。

当他们走出谷地时，太阳已经落得很低，可是小木屋离他们还很远。爸爸加快了步伐，萝拉和玛丽都快跟不上了，她们跟在爸爸后面小跑起来。太阳下落得很快，光线越来越暗，小木屋好像离他们越来越远了。风吹过草地，发出沙沙的声音，玛丽和萝拉都有点害怕。爸爸转过头，看着萝拉说："你累了吧，小家伙？"爸爸把萝拉抱起来走，萝拉感到有点害羞，爸爸让她靠在自己的肩膀上，另一只手牵着玛丽，一起向家走去。回到了家里，晚餐快做好了，妈妈正在准备餐具，小嘉丽坐在地上玩木块。

爸爸把手帕递给妈妈。"你看，孩子们发现了什么。"

妈妈打开手帕，看到这些漂亮的珠子，惊叫起来。

玛丽和萝拉的珠子是分开包的，萝拉拨弄着自己找到的珠子，说："这些是我找到的。"

"我的珠子给小嘉丽吧。"玛丽说。

妈妈看着萝拉，等待着她会怎样说。

萝拉没有说话，她自己很想要这些漂亮的珠子，她感到胸口发热，她真希望玛丽不要那么“无私”，可是，她又不能输给玛丽。于是，萝拉慢慢地说：“我的珠子也给小嘉丽。”

“这才是妈妈的好孩子。”妈妈说。

妈妈让她们把这些漂亮的珠子串起来，做成一条美丽的项链，戴在小嘉丽的脖子上。妈妈给她们找来了线绳，玛丽和萝拉坐在床上，开始串珠子。两人都一声不吭，萝拉一点都不开心。最后，她们把珠子串成一条美丽的项链。小嘉丽看见了，高兴得直拍手，妈妈把这条项链戴在了小嘉丽的脖子上，看起来漂亮极了。萝拉现在感到心里好受些了，如果光是玛丽的珠子，肯定串不成一个项链，正是有了她的贡献，两人的珠子合在一起，才有了这条美丽的项链。小嘉丽不停地用手去抓脖子上的项链，她还小，不懂事，这样会把项链扯断的。于是，妈妈把项链从她身上取了下来，说等她长大了再给她戴。后来，萝拉还会常常想起那些美丽的珠子，她总有点不甘心，想把自己的珠子再要回来，可是她没有那样做。不管怎么说，那是非常难忘的一天，萝拉以后还常常想起那天他们在印第安人的营地里经历的一切。

第十五章
全家感染热病

现在正是黑莓成熟的季节。在炎热的午后，萝拉跟着妈妈去溪边采摘黑莓。溪边的灌木丛中，长满了成串的乌黑发亮、饱满多汁的黑莓，但是枝条上有荆棘，所以必须得小心。太阳晒得让人受不了，所以萝拉和妈妈就在树荫处摘黑莓，那里的黑莓也很多。

鹿群躺在树荫下看着妈妈和萝拉；蓝色的松鸭在她们的头顶上飞来飞去，叽叽喳喳地叫着，好像很不满，因为它们也喜欢吃黑莓。这里有很多蚊子，她们每走到一处灌木丛中，都会轰起一大群嗡嗡叫的蚊子。

很多蚊子落在成熟的黑莓上，贪婪地吮吸着黑莓甜美的汁液。萝拉边摘边吃，她的手上和嘴唇都被黑莓汁染成了紫黑色；她的脸上、手上和脚上伤痕累累，那些都是被荆棘划破和蚊虫叮咬留下的痕迹。她们每天都要采摘好几桶黑莓带回家，妈妈把这些黑莓摊在太阳下晒干。

她们现在每天都可以尽情地吃黑莓，到了冬天，她们还会有黑莓干吃。

玛丽很少去采黑莓，因为她要留在家里照看小嘉丽。白天，木屋里几乎没什么蚊子，可是一到夜晚，只要风不大，就会有成群的蚊子飞进来。这时候，爸爸会在木屋和马厩周围点上几堆半干的草，冒出滚滚浓烟把蚊子驱走。不过，还是会有很多蚊子飞进屋子来。

因为蚊子太多，爸爸晚上没心情拉小提琴了，爱德华先生在晚饭后也不过来串门了。每天夜里，彼得、帕迪、邦尼、母牛和小牛都在不停地跺着蹄子，甩着尾巴，驱赶蚊子。每天早上，萝拉的额头上总是被蚊子咬出很多小疙瘩。

有一天，萝拉感到有点不舒服，她浑身发冷，即使待在火热的太阳底下，她还是觉得冷。

“我也感觉身上痛。”玛丽说。

妈妈拉着萝拉，问她哪里痛。突然，萝拉全身开始剧烈地颤抖起来，牙齿咯咯直响。

妈妈摸了摸萝拉的脸，说：“你的脸很烫。”

萝拉难受得快要哭出来了。“我现在觉得很热，”她说，“我的后背也很痛。”

妈妈喊道：“查尔斯，快看看孩子们，她们生病了！”

“我也觉得不舒服，”爸爸说，“先是浑身发热，然后又感到冷噤，并且全身都很痛。你们是不是也是这样，孩子们？”

玛丽和萝拉都点头说是。爸爸和妈妈对视了好一会儿，然后妈妈说：“孩子们，快躺在床上。”

萝拉躺在床上，感觉很热，她还感到头晕乎乎的。妈妈让她好好睡一觉，可是她睡不着，却又很不清醒。在昏昏沉沉当中，萝拉觉得发生了很多奇怪的事情。她好像看到爸爸在夜里蹲在壁炉边，太阳突然刺痛了她的眼睛，妈妈好像在用汤匙给她喂肉汤。她看到有个东西在慢慢变小，然后又忽然变大了。有两个人在不停地说话，语速很快，又有一个人在慢腾腾地说话。他们说的什么，她又完全听不清。

玛丽躺在她身边，浑身热得厉害，把被子都蹬掉了。萝拉则冷得难受，她大哭起来。过了一会儿，她又燥热起来。爸爸端过来一杯水，他的手在不停地颤抖，锡杯不停地磕碰她的牙齿，萝拉好不容易才喝到一点儿水。妈妈帮她把被子掖好，然后摸了摸她的脸颊，她感到妈妈的手很烫。

爸爸这时说：“你去休息一会儿吧，卡洛琳。”

妈妈说："你病得比我重，查尔斯。"

萝拉再次醒来已是白天。玛丽在哭泣，一遍遍地说："我要喝水！我要喝水！我要喝水！"萝拉看到爸爸躺在大床旁边的地板上，杰克在屋子里跑来跑去，嘴里呜咽着，非常焦急。

她看到妈妈的脸涨得通红，正在看着她。玛丽一直哭着要喝水，可是妈妈病得很重，现在无能为力。妈妈看看玛丽，又看看萝拉，有气无力地说："萝拉，你能起来吗？"

"我可以的，妈妈。"萝拉挣扎着从床上爬了下来，她刚想站起身来，却又重重地摔倒在地板上。杰克不停地用舌头舔她的脸，呜呜地叫着。萝拉想扶着杰克站起来，杰克就稳稳地站在那里让她扶。

萝拉必须弄点水给玛丽喝，玛丽一定渴坏了。她终于摇摇晃晃地站起身来，扶着床沿来到水桶边。桶里的水不多了，她冷得浑身颤抖，连瓢都拿不稳。她终于舀了一点水，慢慢穿过那长长的地板，来到玛丽身边。

玛丽闭着眼睛，她一口气儿就把水都喝光了。喝完了水，玛丽不再哭了，水瓢掉到了地板上。萝拉爬回自己的被窝，盖上被子，很久才感到身上暖和。

在半睡半醒中，萝拉又听到了那个说话很快的声音，接着又听到了那个说话很慢的声音。她睁开眼，看见一张大黑脸正低头看着她。这是一张黝黑发亮的脸，乌黑的眼睛很温和，牙齿看上去很洁白。这张脸在微笑，用温和的声音说："小姑娘，快把它喝下去。"

一只手臂把她从床上半托起，一只黑色的手把一只杯子端到她嘴边。萝拉喝了一口药，觉得很苦，就不想喝了。温和的声音又响起来："喝下去，你就会好的。"于是，萝拉把药都喝完了。

当她再次醒来时，看到屋里有一个胖女人，她正在壁炉边搅动炉火。玛丽躺在她身边，大床上躺着爸爸和妈妈。萝拉看着那个胖女人，问道："你是谁？"

"我是斯科特太太，"胖女人微笑着说，"你现在感觉好些了吗？"

"是的，谢谢您。"萝拉有礼貌地说。

斯科特太太给她端来一碗热乎乎的鸡肉汤，让她趁热喝了下去。"再躺下睡一会儿，"斯科特太太说，"我会留下来照顾你们。"

第二天早晨，萝拉觉得自己好多了。斯科特太太在给他们打扫屋子，然后又服侍爸爸、妈妈、玛丽和她吃药。后来，那个黑人医生来了，他的名字叫坦恩。萝拉第一次见到黑人，就好奇地盯着坦恩医生看。他的皮肤很黑，他同爸爸妈妈开着玩笑，时而爽朗地咧开嘴大笑，露出一口洁白的牙齿。坦恩医生给他们检查完身体就走了。

斯科特太太说，这里几乎所有的垦荒者都染上了热病。照顾病人的人手很紧缺，所以，她得挨家挨户去照看病人，从早忙到晚。

“你们全家人都病倒了。”斯科特太太说，要不是坦恩医生及时发现了他们，后果真的不堪设想。

坦恩医生专为印第安人看病，他在去独立镇的途中路过这里，说来也奇怪，杰克发现了他这个陌生人，竟然完全不吼叫，主动迎上前去，乞求坦恩医生来到木屋里看看。

斯科特太太说，当时他们已经很危险了，坦恩医生在这里待了一天一夜，悉心诊治，直到斯科特太太来了他才离开。他现在正忙着为这里所有的患者治病。

斯科特太太说，人们都是因为吃了西瓜才生病的。她说有个拓荒者在溪边种了西瓜，人们就是吃了那里的西瓜才病倒的。她曾一再警告人们，可是人们不听，现在终于付出了代价。

“可是，我们全家人从来没有吃过啊。”爸爸说。

第二天，爸爸能下床了。又过了一天，萝拉也能下床了，接下来妈妈和玛丽都好了。他们都很虚弱，走起路来摇摇晃晃。不过，他们好歹可以照顾自己了，于是，斯科特太太就回家了。

妈妈非常感谢斯科特太太，斯科特太太说不用这么客气，邻居之间就应该互相帮助。

爸爸的脸瘦得深陷进去，走路都吃力；妈妈得常常坐下来休息；萝拉和玛丽也没有精力玩耍。全家人每天都要吃苦药，不过，爸爸和妈妈始终保持着乐观的心情。

爸爸是个闲不住的人，他现在虽然不能干重活，却利用这段时间用柳枝给妈妈做了一把摇椅。

摇椅做好后，妈妈靠在柔软的摇椅里，怀里抱着小嘉丽，轻轻地摇动着摇椅，眼里闪着幸福的泪花。

爸爸拉起了小提琴，边拉边唱，演奏给大家听。小嘉丽在妈妈的怀里睡着了，玛丽和萝拉坐在长凳上，托着下巴，听爸爸唱歌、拉小提琴，一家人非常幸福。

第二天，爸爸骑着帕迪出门了，他没说要去哪里。没过多久，爸爸就回来了，马鞍前放着一个大西瓜，他吃力地扶住西瓜，以免它从马上掉下来。

西瓜很大，爸爸好不容易把它搬进屋里。他把西瓜放在地板上，累得气喘吁吁。“好家伙，我估计它足有 18 千克重。”爸爸说，“唉，我太虚弱了！把刀拿来。”

“查尔斯！”妈妈说，“你不能吃西瓜，斯科特太太之前说过的……”

爸爸哈哈大笑起来。“她一定是在胡说，”他说，

“西瓜怎么会传染热病呢？人们都知道，热病是由于呼吸夜晚的空气引起的。”

“这个西瓜就是在夜晚的空气里长大的。”妈妈争辩说。

“简直胡说！”爸爸说，“把刀给我，就是再染上一次热病我也要吃。”

妈妈无奈地把刀递给了爸爸。

“嚓”的一声，西瓜被切开了，露出了鲜红的瓜瓤，上面点缀着黑色的瓜子。在这炎热的夏季，红红的瓜瓤看上去的确很诱人，萝拉真的很想吃一块。

可是妈妈不准萝拉和玛丽吃，她自己也不吃。就这样，她们看着爸爸吃了一块又一块，最后他实在吃不下了，就把剩下的西瓜喂牛吃了。

第二天，爸爸又有点忽冷忽热，妈妈埋怨说是吃西瓜吃的。可是过了一天，妈妈也感觉身体忽冷忽热，她可没吃西瓜呀。这下他们就搞不懂了。

在那个年代，人们还不知道热病就是疟疾，这种病是通过某些蚊子传播的，人们一旦被它们叮咬，就很容易染上热病。

第十六章
烟囱烧着了

秋天来了，草原发生了一些变化，草地的颜色由先前的绿色变成了棕黄色。风吹过高高的草丛时，发出尖利的呼啸声，到了夜晚，风声听起来就像哭泣的声音。

天气变得凉爽了，爸爸准备去一趟独立镇。到镇上去，彼得和帕迪拉着车需要走两天才能到。爸爸在走之前，在马厩旁边堆了一个小草垛，还砍了很多木柴靠在木屋外面。他还得给家里多准备一些肉，于是他背着枪出去打猎了。

“砰！”溪边的树林里传来枪声，玛丽和萝拉知道爸爸打到猎物了。风吹在身上已经有了凉意。成群的野鸭子从溪边飞起来，在空中盘旋了几圈，又落下去了。天空中，一群大雁排成“人”字形向南飞去。飞在最前面的是头雁，它边飞边呼唤同伴：“咿啊——咿啊——咿啊。”它身后的大雁也一只接一只地回应它："咿啊——咿啊——咿啊。"溪边树木的树冠现在呈现出多种颜色，橡树叶子有红、黄、褐、绿好几种颜色，木棉、无花果树和胡桃树的树冠都是明黄色。

那天下午，风越刮越大，外面有点冷，妈妈叫玛丽和萝拉回到屋子里。她在壁炉里生起了火，然后抱着小嘉丽坐在壁炉前的摇椅里，轻声唱歌给小嘉丽听。这时，烟囱里啪地响了一声。妈妈不唱歌了，她看了看壁炉的烟囱，然后站起身来，把小嘉丽交给玛丽抱，然后快步往外走去。萝拉跟在妈妈的身后。抬头一看，哎呀！烟囱的顶部着火了！烟囱上面的树枝被烤着了。火借风势，风助火威，大风裹着火苗朝屋顶卷去。妈妈抓起一根长木杆，一下接一下地扑打着，燃烧的树枝不停地往下落。萝拉也拿起了一根木杆，想给妈妈帮忙，妈妈却让她躲到一边去。萝拉跑回到屋子里，看到燃烧的树枝和炭火顺着烟囱不断地往下掉，滚到壁炉前面，屋子里烟雾弥漫。有一根还在燃烧的粗树枝滚到了玛丽的脚边。玛丽吓坏了，坐在摇椅里，一动也不敢动。

萝拉一把抓住摇椅背，使出全身的力气向后拉，她把玛丽和小嘉丽从壁炉前拉开了。接着，她又抓起那根燃烧的树枝，把它扔进壁炉里。妈妈这时刚好跑进了屋里。

"真是好孩子，你做得很对，绝对不能让火烧到地

板。”妈妈说。她提起水桶，迅速把水泼进壁炉，火顿时熄灭了，一股水汽从壁炉中冒出来。妈妈拿起萝拉的手看了看，问她烧到手了没有。萝拉说没有烧到，因为她刚才抓树枝的速度非常快。她把脸埋在妈妈身上，紧紧地抱住妈妈。

妈妈抚摸着她的头发问：“你害怕吗，萝拉？”

“是的，我很害怕。”萝拉说，“我害怕玛丽和小嘉丽被火烧着，我害怕木屋被烧着，那样我们就没有屋子住了……”

“萝拉，你真是个勇敢的孩子。”妈妈夸奖说，“还好我们都没有受伤，木屋也好好的，现在没事了，我们安全了。”

爸爸回来后，知道了事情的经过，他说他会尽快把烟囱重新修好，上面多抹些泥巴，这样烟囱就不会再着火了。

爸爸打了四只肥大的野鸭。他说溪边动物很多，如果他愿意，他可以打几百只野鸭下来，他甚至还能打到一只鹿，但是肉只要够吃就行了，他没必要这么做。他对妈妈说：“你把野鸭和大雁的羽毛都攒下来，到时候我们可以做一床羽绒被。”爸爸还发现了一大群火鸡的栖息地。“到了感恩节和圣诞节，我们不愁没有火鸡吃，”爸爸说，“那些火鸡又肥又大，到时候我会抓几只回来。”爸爸砍了一些绿树枝，和了一些泥巴，把烟囱重新垒好了。妈妈把那几只野鸭洗干净，重新给壁炉生起火，把一只野鸭放在上面烤，她还烤了一些玉米饼。吃过晚饭，爸爸说他打算明天一早就到镇上去。“我早点去，办完事也好早一点回来。”他说。

“是的，查尔斯，你还是早点去吧。”妈妈说。

“我借了斯科特的烟草和爱德华的钉子，我到镇上买一些回来，还给他们，剩下的留着自己用。”“你还需要买点奎宁回来。”妈妈说，“另外，家里的玉米粉和糖也快吃完了，你还要再买点盐回来。还有，查尔斯，我想给威斯康星州的亲戚们写封信，你带到镇上邮局把它寄出去，过段时间我们就能收到他们的消息了。”“好的，卡洛琳，一切照你说的办。”爸爸说。他转过头来，告诉玛丽和萝拉该睡觉了。因为他明天要早点起来，今天晚上要早点睡觉。

爸爸脱掉了靴子，玛丽和萝拉也换上睡衣，钻进了被窝。这时，爸爸轻轻地唱起歌来：

青青的月桂树啊，
绿绿的芸香草，
亲爱的人儿啊，
我们将要分别，
我是多么悲伤。

妈妈微笑地看着爸爸，叮嘱道：“路上照顾好自己，查尔斯，不要惦记我们。”

第十七章

爸爸去独立镇

第二天，当萝拉和玛丽醒来时，爸爸已经走了，妈妈说他天不亮就出发了。爸爸一走，家里顿时缺少了欢乐的气氛，也缺少了一份安全感。爸爸这次到镇上去，四天后才能回来。

邦尼被关在马厩里，找不到妈妈了，它不停地嘶叫着。萝拉和玛丽也没有心情去外面玩，她们一天到晚在家里陪着妈妈。爸爸不在家，杰克显得格外警惕。

中午的时候，妈妈戴上遮阳帽准备去挤牛奶，母牛现在已经变得很温驯了。这时，杰克突然从屋里冲出来，紧接着，外面传来一声大叫：“快看住你们的狗！别叫它咬人！”

原来是爱德华先生，他吓得爬到了高高的柴堆上，杰克也在向上爬。妈妈好不容易把杰克叫到一边，杰克两眼通红，仍在不停地狂叫。

原来，爸爸走的那天早晨，到爱德华先生家里去了一趟，他请爱德华先生每天都到他家去一趟，看是否有什么事。爱德华先生真是个好邻居，他决定每天过来帮妈妈干点活儿。可是杰克很警惕，爱德华先生帮她们干活时，妈妈不得不把杰克关在屋子里。那天，爱德华先生临走时告诉妈妈："晚上让狗和你们待在一起，你们就很安全了。"

天黑了，风在外面呼啸，猫头鹰在"呜——呜"地叫着，远方传来了狼的嚎叫。玛丽和萝拉紧挨着妈妈坐在壁炉旁，木屋很安全，妈妈把门窗都闩上了，杰克和她们在一起，所以她们并不是很害怕。

第二天像第一天一样，平安无事。下午，斯科特太太来看妈妈。她和妈妈一起聊天时，聊到了印第安人，这正是萝拉感兴趣的话题，她听得很认真。

斯科特太太说她丈夫听人说，垦荒者与印第安人之间出现了麻烦。她说印第安人不配占有这片土地，这块土地都应该属于辛勤耕作的人们，这是常识，也是公理。她不明白，政府为什么要和印第安人签订协议。她说她忘不了发生在明尼苏达州的大屠杀……

聊到这里，妈妈咳嗽了一声，斯科特太太就闭口不再往下说了。斯科特太太走后，萝拉问妈妈什么是大屠杀，妈妈说她现在不能告诉萝拉，等她长大了就会明白的。

傍晚时分，爱德华先生又来帮她们干活儿。这一次，杰克又把他撵到了柴堆上，妈妈把杰克拖走了，用铁链把它拴住，爱德华先生才敢下来。那天晚上，大家都很思念爸爸，爸爸应该已经到了独立镇了，今晚他在那里住一夜，明天买完东西就能往回走了。明天晚上他在路上住一夜，后天应该就能到家了。第三天，风刮得更猛烈了，天气非常冷。妈妈把门窗都关严实了，萝拉和玛丽坐在屋里，听着风绕着木屋和烟囱发出尖利的呼啸声。风刮得这么大，不知道爸爸会不会顶着大风往家赶。

天黑了，不知道爸爸今晚在哪里过夜。寒风呼啸着，甚至都吹进屋里来了，她们坐在壁炉旁烤火，感到后背一阵阵地发冷。她们在家里都觉得冷，爸爸如果在路上，他今晚是怎么过的呢?

第四天好像过得特别慢，她们都盼望爸爸能在今天早点回来。中午过后，萝拉和玛丽就不断地朝小溪那边的路上张望，杰克也在朝那边看。

爱德华先生又来帮他们干活了，妈妈提前把杰克关在马厩里，免得它再把爱德华先生撵上柴堆。爱德华先生几乎是被风吹进了屋子，他呼吸急促，快要被冻僵了。他烤了一会儿火，然后开始干活。

他告诉妈妈，红土崖下边出现了印第安人的营地，他刚才过来时，看到他们营地里冒起了炊烟。他问妈妈有没有枪，妈妈说爸爸把手枪留给她了。爱德华先生说，有杰克在，她们会安全的。爱德华先生干完活就回去了。天还没有完全黑，妈妈就把门闩上了。她开了一扇窗户，从这里可以清楚地看到通往小溪边的那条小路，她们就守在窗前，直到天完全黑下来，爸爸还没有回来。于是，妈妈把窗户也关上了。

她们吃了晚餐，洗完餐具，把地板打扫干净，爸爸还是没有回来。外面寒风呼啸，门和窗户都被吹得嘎吱嘎吱响。风从烟囱里灌进来，吹进壁炉里，炉火烧得旺旺的。

萝拉和玛丽一直在听着外面的动静，她们真希望能听到马车的声音。妈妈把小嘉丽放在摇椅里，摇着摇椅，唱着歌儿哄小嘉丽睡觉。

小嘉丽很快就睡着了，妈妈脱掉小嘉丽的衣服，把她放到床上。“睡觉吧，孩子们！”妈妈说。但是萝拉和玛丽都不想睡，她们想等到爸爸回来，妈妈同意了。

她们两个坐在那里等爸爸回来，她们等了很久，后来都开始打哈欠了，但是她们还要坚持等下去。萝拉已经开始打瞌睡了，萝拉的眼睛慢慢闭上了，看不清屋里的东西了。突然，“哐”的一声，萝拉从凳子上摔到了地板上，妈妈赶紧把她抱到了床上，让她睡觉。萝拉心里始终念叨着爸爸，睡到半夜，她又从床上爬起来。妈妈还没睡，仍然坐在壁炉旁边的摇椅上，玛丽也没有睡，外面依然寒风呼啸。“快躺下，萝拉，睡觉吧。”妈妈轻声说。

萝拉又躺下来，她仍然在想着爸爸。她知道，爸爸现在正在漆黑的草原上顶着狂风往家赶路。这么黑的夜晚，爸爸还得摸黑渡过小溪。妈妈轻轻摇动摇椅，炉火一闪一闪地映着她，妈妈轻轻地哼起歌来：

在很远的地方，
有一方乐土，
那里是圣徒的天堂，
充满了光明。
啊，天使在歌唱，
荣耀归于万能的上帝！

萝拉听着歌，不知不觉又睡着了。不知睡到什么时候，她被一阵声音惊醒了。她睁开眼睛一看，爸爸就站在壁炉旁。她从床上一骨碌爬起来，大声喊道：“爸爸！”

爸爸刚回到家里，他的靴子上沾满了泥巴，脸和鼻子冻得通红，头发乱蓬蓬地竖在头上。爸爸用妈妈的大披肩把萝拉裹起来，把她抱在怀里。虽然隔着厚衣服，但是萝拉仍然能感到爸爸身上有一股寒气。妈妈把炉火烧得旺旺的，给爸爸煮了一杯热气腾腾的咖啡。爸爸回来了，全家人的脸上都挂满了笑容。

爸爸脱下冻得硬邦邦的脏靴子，把冻僵的手放在火边烤了一会儿。然后，他坐在长凳上，一手抱着玛丽，一手抱着萝拉，让她们坐在自己的腿上，三个人都一起裹在披肩里。他们都把脚露在外面，伸到壁炉前烤着火。

“我还以为我回不来了呢。”爸爸说，“去独立镇的一路上都在下雨，车轮上粘了很多泥巴，几乎都冻成一坨了，车轮转都转不动。我只好下车把泥巴敲掉，才能往前走一段。但是走不多远，就得再次下车敲泥巴。我不停地催促彼得和帕迪赶路，它们都累得筋疲力尽，几乎都走不动了。风又大又冷，吹在脸上就像刀割一样。”

爸爸还在镇上时，人们劝他说风这么大，最好等风停了再走，可是爸爸希望早一点回家。

“我真不明白，”爸爸说，“刮得明明是南风，竟然还这么冷。后来问了镇上的人们才知道，原来在这个地方，南风才是最寒冷的风，我倒是头一次听说。”

爸爸喝完一杯热咖啡，舒了一口气说：“啊哈！我现在可暖和过来了！”

爸爸向妈妈眨眨眼，让她把桌子上的一个方形包裹拆开。“小心点，”他说，“别摔了。”

妈妈拆到一半，就嚷了起来：“啊，查尔斯！你真的买了玻璃！”包裹里面包着八块窗玻璃，它们都完好无损。太好了，他们的小木屋就要装上玻璃窗了。

妈妈嘴里埋怨爸爸不该花这么多钱，可是脸上却充满了笑容。全家人都开心地笑着。装上玻璃窗后，即便是在冬天，他们也能透过玻璃窗对外面的景色一览无余，白天里，阳光也能照射进来，让木屋里充满光明。

爸爸说，他知道她们一定会很喜欢玻璃窗，这比带回来什么礼物都好。他是对的，全家人都非常高兴。爸爸还买回来了玉米粉、猪肉、盐，还有一袋铁钉和一些烟草，爸爸还带回来了一小袋白糖，妈妈打开后，玛丽和萝拉都围上前来。她们看着雪白的糖，都很眼馋，妈妈就用一个小汤匙，给她们每人吃一小口，然后又把袋子重新封好。以后家里来客人，他们就可以用白糖招待客人了。爸爸平安地回到了家，她们都可以安心地睡觉了。只要有爸爸在，她们就没有担忧和烦恼。爸爸买了这么多东西回来，足够用很长一段时间了。

第十八章
奥塞奇部落的印第安人

大风连刮了三天才停住。大风过后，天气晴朗，阳光普照，气温回升。

这些天，总能看到印第安人骑着马在木屋附近的小路上来来去去。玛丽和萝拉没事就观察他们，他们身材瘦削，红褐色的皮肤在蓝天的映衬下格外显眼，他们头顶上的那绺头发用彩线扎起来，插在上面的羽毛微微颤动着。

“我以为那条小路已经没人走了，”爸爸说，“如果早知道他们常走那条路，我就不会把木屋建在这里了。”

妈妈说：“这里的印第安人会越来越多，多到你随便一抬头就能看到。”

妈妈刚说完，眼前真的出现了一个印第安人。他现在就站在门口，看着他们，都不知道他是什么时候来的。

“我的老天！”妈妈倒抽一口气。

这时，杰克朝着印第安人猛扑过去。爸爸及时叫住了杰克，抓住它的项圈。

印第安人一动不动地站在那儿。“嚎！”印第安人跟爸爸打了声招呼。

爸爸也回应了一声“嚎！”爸爸把杰克拴起来，这时，印第安人走进木屋，在壁炉旁蹲下来。

爸爸在他旁边蹲了下来，他们虽然不说一句话，但是看上去挺友好。这时，妈妈开始做午餐，没多久就做好了。

萝拉和玛丽安静地挤在床角处，她们一直在看着这个印第安人。他静静地蹲在那里，随着呼吸，他裸露的胸膛和肋下的肌肉在微微起伏。他的皮制绑腿上缀着流苏，鹿皮鞋上镶满了珠子。

妈妈给他们端来了午餐，他们便默默地吃起来。午餐后，爸爸递给印第安人一点烟草，两人都拿出烟斗，把烟草装进去，用炭火把烟斗点燃，两人一言不发地对抽起烟来。抽完烟后，印第安人不知跟爸爸说了一句什么，爸爸摇摇头，说他听不懂。

又过了一会儿，印第安人站起身，走出了屋子，骑着马离开了。

爸爸说，从那个印第安人的辫子来看，他应该是奥塞奇部落的印第安人。

“希望我们各过各的，”妈妈说，“我可不希望印第安人老来打扰我们。”

爸爸宽慰妈妈：“那个印第安人很友善，他们把营地扎那么远，说明他们有意和我们保持距离。如果我们友善地对待他们，看好杰克，我们就会友好相处下去。”

第二天早上，爸爸打开屋门，萝拉看到杰克直挺挺地站在印第安人走过的小路上，龇着牙齿。在它前面，一个高个子印第安人骑着马立在那里，一动不动。杰克和印第安人对峙着，仿佛印第安人只要一动弹，杰克就会扑上去。

印第安人看到爸爸出来以后，就把枪举起来对准杰克。爸爸更快几步就跨到杰克前面，一把抓住杰克的颈圈，把它拖到一边。印第安人收起枪，沿着小路继续朝前走去。

“好险哪！”爸爸说，“幸亏我出来得及时，否则后果不堪设想。”

爸爸在木屋的外墙上钉了一个铁环，用铁链把杰克拴在那里。从那以后，杰克就经常被拴着，失去了往日的自由，杰克的脾气变得越来越坏。不过，这也是没有办法的事，这总比杰克哪天咬伤了印第安人，惹下大麻烦要好。

冬天来了。阴霾的天空下，草原也变成灰暗的颜色。北风呼啸着，天气越来越冷，动物们都换上厚厚的毛皮，做好了过冬的准备。最近，爸爸打到了一头鹿，他们有鹿肉可以吃了。爸爸还打到了河狸、麝鼠、水貂、狼和狐狸，打它们不是为了吃肉，而是为了获得毛皮。

爸爸把它们的毛皮剥下来，钉在屋外的墙壁上晾晒。等毛皮干了之后，爸爸把它们捆扎在一起放在墙角里。爸爸积攒下这些毛皮，准备开春后拿到镇上去卖钱。

有一天，爸爸又出去打猎了。两个印第安人来到了这里，他们看杰克被拴在外面，就闯进了屋里。这两个印第安人很没有礼貌，就好像这是他们家一样，在屋子里到处翻找东西，他们把橱柜里的玉米饼和爸爸的烟草袋都拿走了。最可气的是，一个印第安人把墙角的那捆毛皮也抱了起来。

妈妈抱着小嘉丽，玛丽和萝拉紧紧地贴在妈妈身边，她们眼看着印第安人的无理行为，却不敢上去阻止。那个抱着毛皮的印第安人走到门口时，另一个印第安人对他说了一句什么，那个印第安人便把毛皮丢在地上，然后两个人离开了这里。

他们走后，妈妈坐了下来，她苦笑道："还好，他们把犁和种子给留下了。"

萝拉奇怪地问道："什么犁和种子呀?"

"我们明年种地需要犁和种子，全靠这捆毛皮呢。"妈妈说道。

爸爸回来了，得知两个印第安人闯进家里的事之后，表情十分严肃。他没有说什么。

那天晚上，吃过晚饭后，爸爸拉起了小提琴，妈妈随着小提琴声唱起歌来。

歌唱吧，
印第安姑娘，
美丽的阿尔法拉塔，
朱尼亚塔河的蓝色波涛在奔流。

逝去的岁月，
带走了阿尔法拉塔的歌声，
只有朱尼亚塔河的蓝色波涛依旧奔流不息。

妈妈唱完后，萝拉问："妈妈，阿尔法拉塔的歌声会传到哪里去?"

妈妈想了想，说："大概传到西边去了，那是印第安人要去的地方。"

“妈妈，”萝拉又问，“印第安人为什么要到西部去呀？”

“他们必须得去。”妈妈说。

“为什么呀？”

“政府要求他们去那里。”爸爸说。

“那又是为……”

“行了，哪有那么多为什么，快点睡觉吧，萝拉。”妈妈打断了萝拉的问题。

“是这样的，”爸爸解释道，“政府规定，如果有白人来到印第安人的区域定居，印第安人就得离开。政府准备把那些印第安人全部迁到西部，命令马上就要下达了。我们就是由于这个原因才来到这里的。白人准备开垦这片土地，我们是最先来的，我们可以选一块最好的土地。现在你明白了吧？”

“我明白了，爸爸。”萝拉说，“不过，这里本来是印第安人的地方，让他们离开，他们会不会不高兴……”

“不要再问了，萝拉，”爸爸坚定地说，“快睡觉吧。”

第十九章

快乐的圣诞节

天气越来越冷了，风整日呼啸着，可是还是没有下雪，只有冰冷的雨下个不停。玛丽和萝拉盼望着早点下雪，她们多么希望晚上睡一觉，到第二天起来就能看见雪。可是，每当她们早晨起来往外一看，外面依旧是湿滑泥泞的草地。

圣诞节快要到了，要是再不下雪，圣诞老人就没法赶着驯鹿出去旅行了。萝拉还担心，他们住在这么远的地方，即便下了雪，圣诞老人能找到他们吗？

萝拉和玛丽每天掰着手指头算日子。终于，还剩一天就到圣诞节了。

早晨起来，外面还在下着雨，天空中布满了乌云，灰蒙蒙的。看来圣诞节前是不会下雪了，圣诞老人今年不会过来了。

快到中午的时候，爸爸从溪边回来了，他拎着一只肥大的火鸡走进屋子，那是他们圣诞节晚上的大餐。玛丽问爸爸，溪水的水位有没有降下去一点，爸爸说还在往上涨呢。

妈妈说这实在太糟糕了，他们本来已经邀请了爱德华先生来和他们一起吃圣诞大餐的，这下倒好，水涨这么大，爱德华先生怎么过得来呢?

爸爸也摇了摇头，说现在渡过溪流太危险了，爱德华先生明天八成是不会来的。这同时也意味着，圣诞老人也不会来了，因为他也过不了小溪。

妈妈安慰她们说，今年圣诞老人不会来了，这实在很遗憾，不过圣诞老人不会忘记她们的，明年圣诞节的时候，圣诞老人一定会来的。可是萝拉和玛丽还是不大开心。

吃过晚饭后，萝拉和玛丽便早早地躺到床上睡觉。今天是平安夜，可是家里一点过节的气氛都没有。

爸爸和妈妈也沉默不语地坐在壁炉前。过了一会儿，妈妈突然站起身来。

“孩子们，我把你们的袜子挂起来，”她说，“说不定会有奇迹发生呢。”

听到这话，萝拉为之一振，可她转念又想起暴涨的溪水，心想是不会发生奇迹的。

妈妈找了两只玛丽和萝拉的干净袜子，挂在壁炉架的两边。萝拉和玛丽把蒙在头上的被子掀开一道缝儿，偷偷地看着妈妈的举动。

“好了，快睡觉吧，孩子们，晚安。”妈妈亲了亲她们。

萝拉和玛丽很快就睡着了。不知道睡了多久，她们被杰克的叫声给吵醒了，接着，她们听到了当当当的敲门声，有人在喊：“查尔斯！查尔斯！”

萝拉透过玻璃窗户往外看，外面已经泛白了，天已经快亮了。爸爸起来把门打开了，外面站着爱德华先生！

“真没想到是你，爱德华！请进，你是怎么来的？”爸爸很高兴，大声问道。

萝拉看到那两只袜子空空的，显然里面什么都没有，她失望地闭上眼睛，把脸埋在枕头里。她听到爱德华先生说，他到了溪边，把衣服脱了，顶在头上游过了小溪。他说话的时候，牙齿咯咯直响，声音也在颤抖，显然冻得够呛。爸爸往壁炉里加柴，把壁炉烧旺，让他赶快烤烤火。

“爱德华，你今天能来我们很高兴。”爸爸说，“可是这太危险了，为了吃一顿圣诞晚餐，你没必要这么冒险。”

“你的孩子们要过圣诞节啊，”爱德华先生说，“我在镇上为她们找到了圣诞礼物，我就一定要给孩子们送过来。”

萝拉一下子从床上坐了起来。“爱德华先生，你见到圣诞老人了吗?”她问道。

“是的，我见到了。”爱德华先生回答说。

“啊——你在哪里见到的?什么时候?圣诞老人长什么样子?他跟你说了些什么?他真的托你带礼物给我们了吗?”玛丽和萝拉兴奋极了，一连串问了好几个问题。

“等一下，孩子们，让我一个个地回答。”爱德华先生笑了起来。

爱德华先生走过来，坐在她们旁边，认真地回答她们的每一个问题。

爱德华先生说，小溪涨水了，圣诞老人过不来。“可是你都能过来啊。”萝拉说。“没错。”爱德华先生说，“可是圣诞老人年龄大了，他没法过来。只有像我这样高大强壮、经常干活的人才不怕冷，才能游过来。你们想啊，这边这么远，没有几个孩子，又被溪水挡着，所以圣诞老人只能把礼物送到独立镇上，让人们自己去拿。”

于是，爱德华先生就去了一趟独立镇。“你是冒雨去的吗?”玛丽问。爱德华先生说，他是穿着橡皮雨衣去的。到了镇上，他碰见了圣诞老人。“是在白天碰见的吗?”萝拉问。“不，是在晚上。”爱德华先生说，“商店里的灯光把街上照得很亮。”

“圣诞老人一见到我，就跟我打招呼：‘嗨，爱德华！’”

“他认识你吗？”玛丽问。萝拉也问道：“你怎么知道他就是圣诞老人？”

爱德华先生说，圣诞老人认识所有的人。圣诞老人很好辨认，他长着白花花的长胡子，他一看就知道是圣诞老人。圣诞老人的胡子可是最长、最密和最白的。

“圣诞老人见了我就说：‘嗨，爱德华！上次我是在田纳西州见到你的，你当时正睡在一张用玉米叶铺的床上。’”爱德华先生清楚地记得，那次圣诞老人给了他一副红色的毛线手套。

“然后，圣诞老人接着说：‘我知道你现在住在弗迪格里斯河边，你在那儿有没有见过两个名叫玛丽和萝拉的小女孩？’”

“‘当然见过，我还跟她们两个很熟呢。’我回答道。”

“圣诞老人说：‘她们是两个可爱又懂事的小女孩，我知道她们在等我。我真的很想把礼物亲手送给她们，可是，你们那边有条溪水的水位上涨了，我实在过不去。但是，我也不想让她们两个失望，爱德华，你能帮我找到她们，把礼物带给她们吗？’”

“‘我很乐意效劳。’我回答说。”

“于是，圣诞老人带着我来到街对面，他的马和骡子拴在那里……”

“他不是赶着驯鹿吗?”萝拉问。

“这次他不会赶驯鹿的,”玛丽替爱德华先生回答说,“因为没有下雪。”

“说得对极了,”爱德华先生说,“圣诞老人这次是骑着马,赶着骡子来旅行的。到了那里,圣诞老人解开骡子背上的大包袱,翻了一会儿,找到了给你们两个的礼物。”

“啊,是什么礼物呀?”萝拉喊道。

玛丽的注意力却不在礼物上,她问道:“他把礼物给你,然后怎么样?”

“然后呢,他就和我握手道别了,他跨上了他的栗色马,把他那长长的白胡子塞进印花大围巾的下面。‘再见了,爱德华。’他说。然后他就骑着马,牵着骡子,朝道奇堡的方向走了。”

萝拉和玛丽这时都不说话,她们沉浸在爱德华先生的经历中。

这时候,妈妈说:“孩子们,你们看看圣诞老人给你们带来了什么礼物。”

萝拉和玛丽叫了一声,她们从床上跳下来,跑到妈妈跟前。她们的袜子里都塞满了礼物,在袜子的筒口处,有一个崭新、漂亮的锡杯,玛丽和萝拉的锡杯一模一样。

她们终于有了自己的杯子啦。从今以后,她们就不用再合用一个杯子喝东西了。萝拉高兴得又蹦又跳，大声喊叫。

她们把手伸进袜筒里，继续往外拿礼物，分别掏出了一根长长的拐杖糖，上面还有白色和红色的条纹。她们把拐杖糖拿在手里，左看右看，都舍不得吃。

继续往外掏，掏出了两个小纸包，她们打开一看，里面是一块心形的小蛋糕。蛋糕的表面是咖啡色的，上面撒着白糖，就像是美丽的小雪花。蛋糕很漂亮，让人舍不得吃。最后，萝拉忍不住在蛋糕的背面轻轻咬了一小口，这样从正面看，蛋糕还是完整的。

没想到有这么多礼物，她们高兴得不得了。妈妈让她们再往里面掏掏，看看还有没有东西。她们又把手伸进袜筒里，最后她们各自又掏出来一样东西，那是一枚亮闪闪的崭新硬币！

萝拉和玛丽都高兴坏了，这真是出乎她们的意料，她们还从来没有收到过这么丰富的圣诞礼物。

萝拉和玛丽都很感谢爱德华先生，感谢他跑那么远的路给她们带回来了这么多的礼物。爸爸也紧紧地握住爱德华先生的手，向他表示由衷的感谢。

圣诞节晚上，他们和爱德华先生一起吃了香嫩的烤火鸡、黑莓干和煎饼，他们还吃了烤甜薯，那是爱德华先生从独立镇上带回来的。他们度过了一个非常愉快的圣诞节。

第二十章
猎杀黑豹

冬天的白天很短，夜晚却又冷又漫长。天空灰蒙蒙的，厚重的云团低低地垂在天空中。冰冷的雨还在不时地下，时而夹杂着的几片小雪花，在空中飞舞着，匆匆地落入枯黄的草丛中，马上就变得无影无踪了。风整日地呼啸着，有时在尖叫，有时在怒号，有时呜咽，有时低回。他们已经习惯了草原上的风声，不管是白天还是夜晚，他们都不受什么影响。可是有一天夜里，他们突然被一种可怕的尖叫声给惊醒了。

妈妈问："查尔斯！是什么声音？"

"像是女人的尖叫声。"爸爸说，他跳下床，穿上了衣服。"好像是从斯科特家传来的。"

"啊，他们家出什么事了！"妈妈大声说。

“可能是斯科特生病了。”爸爸一边说，一边穿上靴子。

“你说会不会是印第安人……”妈妈低声说。

“不会的，”爸爸说，“我跟你说过多次了，印第安人不会制造麻烦，他们在红土崖的营地里过得好端端的。”

爸爸穿上外套，戴上皮帽，围上围巾，拿上枪，提着灯笼就匆忙出门了。爸爸关门时，萝拉看了一眼外面，天很黑，一点亮光都没有，风呼呼地刮着。

“妈妈，”萝拉问道，“外面怎么那么黑啊？”

“暴风雪快要来了。”妈妈回答说。

妈妈把门闩好，又往壁炉里加了一根柴火，然后回到床上。妈妈现在睡不着了，玛丽和萝拉也没有一点睡意。她们都把眼睛睁得大大的，倾听着外面的动静。然而，除了风声，她们什么也听不到。玛丽小声对萝拉说：“真希望爸爸快点回来。”萝拉点点头，没有说话。她好像看到无边的黑暗中，有一个微弱的亮光在晃动着，那是爸爸在黑暗中快步行走，正朝着斯科特先生家匆匆赶去。过了很久，萝拉低声说：“天应该快亮了。”玛丽点点头，没有作声。她们和妈妈就这样躺在床上，忐忑不安地等着爸爸回来。

突然，她们又听到了一声类似女人尖叫的声音，而且好像离她们更近了。

萝拉吓得惊叫一声，从床上一下子跳下来，玛丽则赶紧把头蒙到被子里。妈妈急忙起来，穿好衣服，又往壁炉里添了一根木柴。妈妈叫萝拉回到床上睡觉，萝拉却请求妈妈让她待在下面，妈妈勉强同意了，让她小心着凉，把披肩围在身上。她们在壁炉前站着，静静地听着外面的声音。

突然，爸爸在外面用拳头砸门："快点开门，卡洛琳！"

妈妈赶忙把门打开，爸爸进来后砰的一声把门关上。他气喘吁吁地说："哎呀，可把我吓坏了！"

"怎么了，查尔斯？"妈妈问。

"我遇到一只黑豹。"爸爸说。

爸爸说他急匆匆地赶到斯科特先生家，发现屋子里没有一点灯光，一切都非常安静。他绕着屋子走了一圈，留心听屋里有什么动静，却一点儿声音都没有。他用灯笼四下里照来照去，也没有发现任何可疑的地方。他觉得刚才听到的只是风的尖叫，就三更半夜地爬起来，大老远跑到这里来，自己真是个大傻瓜。爸爸不想让斯科特夫妇知道他做的蠢事，就没有惊动他们，悄悄地离开那里，赶紧往回走。当他走到红土崖上时，突然从下面又传来了那种声音。

"我跟你们说，当时我的头皮直发麻，我就像一只受惊的兔子一样，拔腿就往家跑。"

"爸爸，你说的黑豹在哪里？"萝拉问。

"就在树顶上，"爸爸说，"那家伙就待在红土崖旁边的一棵高大的棉白杨树的顶上。”

“它有没有跟着你?”萝拉问。爸爸说:“我也不知道,萝拉。”

“好了,查尔斯,现在没事了。”妈妈说。

“好在有惊无险。大晚上的,碰上一只黑豹可不是好玩的。”爸爸说着,把他的靴子脱了下来。

萝拉又问道:“爸爸,黑豹会抓小女孩吗?”

“会的,”爸爸说,“它会吃人的。这东西是个祸害,在我把它杀死之前,你和玛丽就待在家里,千万不要到处乱跑。”接下来,爸爸一连好几天都在外面寻找那只黑豹,他发现了那只黑豹的足迹,还有它吃剩下的羚羊骨头,可是却找不到它。爸爸说他要一直找下去,直到杀死它为止。这一带有一只黑豹转来转去,孩子们都不安全。

可是,爸爸始终没有找到那只黑豹,更不用说杀死它了。直到有一天,他在溪边的树林里遇见了一个印第安人。他们通过比画进行交流,那个印第安人告诉爸爸,他在前一天已经用枪把黑豹杀死了,他是从树上把它射杀的。

黑豹被杀死了,大家也就安全了。萝拉后来问爸爸,黑豹会不会把“帕普斯”也叼走吃掉,爸爸说会的,印第安人也感到了黑豹的威胁,这也许就是那个印第安人杀死它的原因。

第二十一章
印第安人的聚会

冬天过去了。风没有那么大了，天气也没有那么寒冷了。有一天，爸爸说他要到独立镇上去把毛皮卖了，然后再买一副犁和一些种子回来。第二天一大早，爸爸就把彼得和帕迪套上车，把一大捆毛皮装在车上，然后就去镇上了。爸爸不在家，又是一次漫长的等待。一天，两天，三天，四天，爸爸还没有回来。到了第五天，玛丽和萝拉有点急不可待了。这一天天气晴朗，大自然中已经有了早春的气息。风虽然还有些凉，但已经透着一丝暖意。蓝蓝的天空中，野鸭和大雁的叫声此起彼落。萝拉和玛丽在外面玩耍，可怜的杰克只能眼巴巴地看着她们，因为它被铁链拴着，不能到处跑，也不能和她们玩。上午过去了，爸爸还没有回来。妈妈说，爸爸卖完毛皮还要买东西，可能需要多花一些时间。

下午，萝拉和玛丽在外面玩跳格子游戏。突然，玛丽停了下来，问道："萝拉，你听，那是什么声音?"

萝拉也听到了，说道："好像是印第安人发出来的声音。"那声音听起来有点古怪，是由很多印第安人一起发出的声音，粗野而狂热，像是斧头砍树发出的声音，也有点像狗叫。萝拉从来没有听过这样的声音。

声音是从红土崖那边传来的，萝拉想仔细听清楚，可是由于山丘和树林的阻隔，再加上风声和杰克的吠叫声，她没法听得更清楚。妈妈也听到了这种声音，她把玛丽和萝拉叫进屋，并把杰克牵进屋子，然后闩上门。

玛丽和萝拉不能在外面玩了，那种声音隐隐约约能听到一些，但是一直没有停过。白天剩下的时间，她们都在帮妈妈做家务活。萝拉帮着妈妈把邦尼、母牛和小牛赶到马厩里，锁好门，妈妈挤了一些新鲜牛奶，萝拉把牛奶提进屋里。妈妈到井边打水，萝拉和玛丽抱了一些木柴进屋。她们在做家务时，印第安人的声音一直没有停下来过，而且声音更大了，频率更快了。太阳快要落下去了，晚霞把西边的天空染得红彤彤的。炉火在闪烁跳跃着；妈妈正在做晚餐；萝拉和玛丽静静地望着窗外，听着那种声音。

夜幕降临了，天空暗淡下来，外面的景物变得越来越模糊。

这时，门外响起了马车的声音，爸爸回来了！萝拉又跳又叫地跑到门边，妈妈把门打开了。爸爸把马车停在门外，之后连忙抱着许多东西往屋子里拿。萝拉和玛丽跑到爸爸身边，拉住爸爸的衣服，高兴地跳来跳去。

爸爸也高兴地笑起来："嗨！嗨！你们两个小家伙，别把我拽倒了！"

爸爸把东西放到屋里，腾开手来，高兴地抱起萝拉，把她抛起来又接住，他用另一只手把玛丽也抱在怀里。

"爸爸，你听这声音，"萝拉说，"印第安人为什么会发出这样一种古怪的声音呢？"

"印第安人在举行聚会，"爸爸说，"我在经过溪边低地时就听到了。"

爸爸放下萝拉和玛丽，走出屋子，继续卸掉马车上的货物。他把新买的犁放到马厩里，把种子都拿进屋里。爸爸还买了红糖、面粉、玉米粉、盐和咖啡，他还买了一些马铃薯，不过是当种子用的。爸爸又拿出一个纸袋和一个纸包来。他把纸袋打开，里面装满了饼干，纸包里面是一罐酸黄瓜。爸爸时时都在想着家人，萝拉和玛丽爱吃饼干，妈妈喜欢吃酸黄瓜。爸爸带回来的东西还不止这些呢！他还给妈妈买了一匹漂亮的印花布料，让妈妈做衣服用。

“啊，查尔斯，这东西太贵了，你不该买的。”妈妈嘴上这么说，脸上却洋溢着幸福的微笑。

还有一样东西，爸爸见萝拉和玛丽没有提起，就装作忘记了，若无其事地坐下来，把腿伸到壁炉旁边。

玛丽看来也忘了这件东西，可是萝拉却没忘。萝拉爬到爸爸的腿上，一边用小拳头不停地捶打着爸爸的腿，一边嚷道：“在哪里？在哪里？我们的礼物在哪儿？”

爸爸仰起头哈哈大笑起来，他说：“噢，我想起来了，我的上衣口袋里好像还有什么东西。”

他从口袋里拿出一个小包裹，打开后，里面是两个几乎一模一样的漂亮的发卡。

发卡是黑色的，形状弯曲，可以戴在头上，发卡的中间还有一颗五角星，五角星的下面缀着一条彩色的缎带，看上去非常漂亮。

妈妈说：“查尔斯，你还没有给自己买一件礼物呢！”

“我的也有，那副犁就是我最好的礼物，”爸爸说，“等天气暖和起来，我就可以用它耕地了。”

一家人非常开心地吃了一顿晚餐，晚餐有美味的煎咸猪肉，还有很好吃的咸味饼干和酸黄瓜。爸爸说他买了萝卜、胡萝卜、洋葱和白菜的种子，还有豌豆等豆类的种子，还有玉米、小麦、烟草和马铃薯的种子，他还买回来了西瓜种子，今年夏天他们就有西瓜吃了。

爸爸高兴地对妈妈说：“卡洛琳，把这些种子都播种到地里，等到丰收时，我们会应有尽有，就像国王一样富有。”

晚饭后，爸爸和妈妈聊着天，爸爸告诉了妈妈一个消息。他听独立镇上的人们讲，印第安人向政府抗议白人侵占了他们的土地，所以政府打算把白人垦荒者迁出印第安人的土地，华盛顿那边已经传来了消息。

“不，查尔斯！”妈妈说，“我们已经付出了这么多，那我们岂不是白忙活了？”

爸爸说他也不相信这会是真的。他说：“政府应该首先维护垦荒者的利益，应该让印第安人继续向西迁移。我上次听到一个相反的消息，说政府将要向白人开放这片土地。”

“希望政府早点把这件事定下来，这样我们就安心了。”妈妈说。

萝拉和玛丽躺在床上，却睡不着觉。屋子里点着蜡烛，爸爸和妈妈坐在壁炉旁，爸爸带回来了一份堪萨斯州的报纸，他正在读给妈妈听。报纸上说，政府不会把白人垦荒者迁走的。外面的风小了一些，印第安人营地里的声音隐隐约约传了过来。那是一种狂野的很有节奏感的声音：“吁！吁！吁——伊！哈！吁！哈！”萝拉的心也跟着声音的节奏颤动着。

第二十二章
草原着火了

春天来了，暖风吹拂，万物开始复苏，草原上开始恢复勃勃生机。

现在正是耕种的好时机。爸爸让彼得和帕迪套着犁，赶着它们在附近开始耕地了。地面上布满了一团团的草根，盘根错节，十分坚韧，所以第一次耕地要费些力气。彼得和帕迪用尽全力，拖着犁缓慢地朝前走着，草地上被犁出了一道长长的沟。

地上的枯草又高又密，爸爸犁过的土地甚至都看不到泥土，因为全都被犁倒的长草和翻出来的草根给盖住了。这块地是第一次耕种，爸爸说第一年只能种些马铃薯和玉米，等到来年这些枯草和草根腐烂了，就可以种别的作物。爸爸说这是一块很好的土地，土壤很肥沃，地面很平整，连一棵树和一块石头都没有。

有一天中午，玛丽和萝拉正在帮着妈妈准备午餐，小嘉丽在地板上玩耍。突然之间，屋里变得很暗，好像太阳一下子被遮住了一样。

“可能是风暴要来了。”妈妈把头探出窗户往外看，萝拉也跟着往外看。南边有一大片黑云在翻滚着，把太阳都给遮住了。

正在这时，爸爸赶着彼得和帕迪，肩上扛着犁，大步流星地往家跑。

“草原着火了！”爸爸大声喊道，“赶快准备一盆水，把麻袋浸到水里面！快！”

妈妈往井边跑去，萝拉把大木盆拿出去，把它拖到井旁边。爸爸把母牛和小牛赶到了马厩里，把邦尼捉住拴了起来。然后他进到马厩里，把里面的麻袋一个个地往外扔。萝拉跑过去把爸爸扔出来的麻袋捡起来，然后拿到井边。

做完这些，爸爸赶着彼得和帕迪又去犁地，他大声吆喝彼得和帕迪快点拉。他先后在木屋的西面、南面和东面分别犁出了一道沟，这样做是为了防止火烧到木屋这边。彼得和帕迪拖着犁在前面大步走着，爸爸扶着犁跟在后面小跑。犁完之后，爸爸把彼得和帕迪拴在木屋旁边。这时大木盆里已经打满了水，萝拉帮着妈妈把麻袋全都浸泡在水里面。

爸爸说："快点，卡洛琳，我们把大木盆抬到地里，火来得比马跑得还要快。"

爸爸和妈妈抬着大木盆，摇摇晃晃地向刚犁出的土沟跑去。萝拉站在木屋外边，看着滚滚的浓烟下，红红的火焰正朝着这边席卷而来。风助火势，火借风威，无数只鸟儿在大火的前面腾空而起，数不清的兔子在奔走逃命。杰克从来没有见过这样的场景，它浑身发抖，靠在萝拉身边，对着火焰低声吼叫。爸爸把土沟外侧的草点着烧掉，妈妈拿着一条湿淋淋的麻袋，把烧到土沟内侧的火随时打灭。整个草原上的动物都在逃命：兔子四处奔逃；蛇蠕动着从木屋旁边爬过；草原鸡伸长脖子，铆足了劲往前跑；一只只鸟儿鸣叫着从头顶掠过。

爸爸把三道土沟外侧的草都点着了，然后他也拿着一条湿麻袋，帮妈妈扑灭烧到土沟里面的火。风呼呼地刮着，不断地把火引到土沟内侧，爸爸和妈妈拼命地把内侧的火扑灭。大火离他们越来越近了，浓烟已经蔓过来了，他们在浓烟里东奔西跑，顽强地跟火战斗着。

大火借着风势，朝着他们席卷而来，无数火焰在轰鸣、闪耀、翻腾。旋转的火舌在前面开路，不断地把前面的草丛化成一片火海，浓烟翻滚，火光映天。

玛丽和萝拉手拉着手躲在木墙边，浑身都在颤抖，上下牙也在不停地打战。萝拉的眼睛被烟熏得直流泪，鼻子和喉咙被烟呛得很难受。

爸爸沿着土沟外侧点的火，已经把木屋周围的草地烧成了一片黑地，火还在逆风慢慢向外蔓延，准备和迎面而来的熊熊大火会合。终于，它们会合了：大火一下子就把小火吞噬了。

这一刻，小木屋完全被大火包围了。不过很快，大火就烧过去了，小木屋安然无恙。爸爸和妈妈把屋前屋后的余火通通扑灭。然后，妈妈走进屋洗洗手和脸，她的衣服都被汗水浸湿了。

妈妈说现在安全了，大火已经过去了。空气中弥漫着一股煳味儿，草原被烧成了光秃秃、黑乎乎的一片。一缕缕黑烟还在往上冒，灰烬随风飞扬，草原一下子变了样，给人一种怪凄凉的感觉。爸爸说幸亏他发现得早，他们行动及时，才没有发生危险。

动物们都有逃生的本领，它们或跑、或飞、或跳、或爬，都会以最快的速度跑到溪边去，那里可以让它们活命。只有小黄鼠不用跑，它只需躲进洞穴里不出来，等到大火过后，它们再从洞里出来。鸟儿们陆续从溪边低地飞了回来，兔子们也纷纷回来了，它们小心翼翼地四处张望着。蛇从溪边也爬了回来，草原鸡也慢慢悠悠地走了回来。大火烧到土崖旁边就熄灭了。那天晚上，爱德华先生和斯科特先生来了，他们都怀疑这场大火是印第安人故意放的，他们这么做的目的是把白人赶走。不过爸爸不同意这个看法，他说印第安人放火是为了让青草长得更快些，让矮种马走路更容易些。现在，地面上的枯草都被烧掉了，爸爸说他犁地就会省力多了。他们聊天的时候，从印第安人营地那边传来阵阵鼓声和呐喊声。爱德华先生抱怨说，那边的印第安人太多了，他们聚在一起准没有好事。

爸爸却不这样看，他说只要不去招惹印第安人，就能与他们和平相处，相安无事。白人一再挤占印第安人的生存空间，他们对白人心存怨恨也是正常的。不过他相信印第安人不敢对白人怎么样，他们不会忘记当年遭受的沉重打击，况且吉布森堡和道奇堡都驻有政府的军队，他们不敢轻举妄动。“那他们聚在一起干什么呢?”斯科特先生问道。

“很简单，”爸爸说，“他们正在为盛大的猎牛活动做准备，一起商讨猎牛的事情。他们每年都要举行这样的活动。”

“嗯，查尔斯，也许你说对了。”斯科特先生说，“我会把你的话告诉我太太听。她总是忘不了明尼苏达州的那场大屠杀。”

第二十三章

印第安人的喊叫

最近，附近的印第安人越来越多，全家人都感到有些不安。这段时间，爸爸每天都去犁地，每天早早地收工回家，把牲口赶到马厩里，提前把家务活做完。

暮色降临在草原上，风停了，印第安人营地那边传来一阵高过一阵的喧嚣声。爸爸把杰克牵进屋，闩上门，到第二天天亮再把门打开。天完全黑了下来，印第安人的呐喊声不断地传来。有一天晚上，他们还听到了“咚咚咚”的战鼓声，让人心惊胆战。

萝拉晚上睡觉时，经常被印第安人的呐喊声和战鼓声惊醒。杰克也睡不安宁，它时常用爪子抓地，发出低吼声。爸爸也时常在半夜里坐起身来，仔细倾听外面的动静。

有一天晚上，爸爸把床底下的箱子拉出来，找出做子弹用的铸模。他把铅烧融化后倒进铸模，做成一颗颗子弹。萝拉和玛丽从来没有见过爸爸一次做这么多子弹。

玛丽问他：“爸爸，你做那么多子弹干什么用？”

“哦，反正我闲着也没事干，留着以后用。”爸爸故作轻松地说。

有一天，斯科特先生和爱德华先生来找爸爸，他们都拿着枪。他们没有进木屋，在外面跟爸爸交谈了一会儿，然后就走了。吃午饭时，爸爸告诉妈妈，斯科特先生和爱德华先生建议他们做栅栏，不过他认为这是一个愚蠢的想法。“如果我们真的需要栅栏，我们刚来的时候就应该做，现在再去做，就显得我们很胆怯。”爸爸对妈妈说道。

这一天，印第安人的战鼓声越来越急促，他们的呐喊声也越来越激烈。杰克整天都处在高度戒备状态，它竖着耳朵，龇着牙齿，眼睛露出凶光，发出一阵阵低吼。

一天夜里，萝拉又被那种声音惊醒了，她坐了起来，吓出了一身冷汗。妈妈赶紧过来，把萝拉搂在怀里，柔声安抚着她。萝拉发现妈妈还没有睡觉，月光透过窗户照进来，爸爸站在窗户边往外看着，手里握着枪。这时，印第安人的击鼓声和疯狂的喊叫声听得一清二楚。

萝拉非常害怕，她浑身颤抖地问道：“爸爸，那究竟是什么声音？”

爸爸回答说：“那是印第安战士们的呐喊声和示威声，萝拉。”

爸爸接着解释说，印第安人在高声叫喊，围着营火跳跃，这是他们特有的宣战方式。不过仅此而已，所以不用害怕。这里有爸爸在，有杰克在，离这里不远的吉布森堡和道奇堡还驻有军队。“所以，你们都不要怕。”爸爸安慰道。

萝拉喘着气说：“爸爸，我不害怕。”但是她心里依然害怕。玛丽没有说话，她把头蒙在被子里，萝拉感到她在发抖。

这时，小嘉丽也被惊醒了，哇哇地哭起来。妈妈把她抱起来，坐在摇椅里轻轻地摇着她。爸爸依然站在窗前，察看着外面的动静。

咚咚的鼓声很急促，那种狂野而尖锐的喊叫声就像鬼哭狼嚎，非常瘆人。紧接着，更可怕的印第安人的呐喊声又响起来了。过了很久，这种声音终于消停下来了，但是萝拉知道，等一会儿，这些声音还会响起，他们还得继续忍受。

“我从来没有听过这么瘆人的声音。”爸爸擦了擦额头说，“真不知道他们是怎么发出这种声音的。他们根本不需要武器，光这种声音就能把人吓死。”

这时，爸爸突然停住了，仔细听着外面的动静。远处传来了嘚嘚嘚嘚的奔跑的马蹄声，声音越来越近，也越来越响。它是顺着印第安小路往这边来的，它很快就从木屋旁边掠过了，朝着溪边飞奔而去。

月光很明亮，萝拉看到一个印第安人骑在一匹黑色的矮种马上，那人披着一条毯子，剃着光头，头顶上插的鹰羽随风摆动，手里拿着一把长枪。转眼之间，那人就消失不见了。

爸爸说，他能认出来骑马的人就是上次来他们家和他一起吃饭、抽烟的那个印第安人，他是奥塞奇部落的。他自言自语地说：“大半夜的，他一个人骑马拼命地跑，有什么急事吗？”

击鼓声和呐喊声还在持续，又过了很久，那种声音终于渐渐变小了，最后完全听不到了。玛丽和萝拉终于渐渐地入睡了。

第二天一整天，爸爸都没有让她们出门，只有他一个人守在木屋外面。整个白天，印第安营地那边都很安静，一点儿声音都没有。可是一到了晚上，那种令人心惊胆战的声音就响起来了。萝拉和玛丽害怕地抱着妈妈，可怜的小嘉丽被吓得哇哇直哭，爸爸拿着枪盯着外面看，杰克在屋里转来转去，只要那种声音一响起来，它便高声怒吼。

连着好几天都是这样的情况。萝拉和玛丽被这声音折磨得心神不宁、筋疲力尽，她们累极了，就在这鼓声和叫喊声中睡着了。可是声音太大时，依然会把她们惊醒，让她们重新回到担惊受怕之中。

白天，爸爸也不犁地了，牲口都关在马厩里。爸爸时刻都在高度警惕着，注意着周围的动静。玛丽和萝拉好几天都没出去玩了，她们一天到晚都不能离开小木屋。爸爸现在非常紧张，白天里，他甚至不能安安生生地吃一顿饭，因为即使在吃饭时，他也要不断地走出木屋，去察看外面有没有什么异常情况。

有一天，爸爸实在太累了，竟然坐在桌边垂着头睡着了。大家都不敢出声，生怕把爸爸弄醒了，就这样让他睡一会儿。可是没多久，他一下子又醒了，猛地站起身对妈妈大声说："不要让我睡着了！"

"不要紧，有杰克在呢。"妈妈轻声说。

那天晚上非常糟糕，战鼓声、尖叫声、呐喊声一阵高过一阵，一阵快过一阵，他们几乎已经疯狂了。那种声音在草原上久久回荡着，打破了一切和谐和美好。连日来，萝拉被这声音折磨得头疼欲裂，全身也疼得要命。

爸爸站在窗前说："卡洛琳，他们好像正在激烈争吵，说不定会开战。”

“让他们打起来好了！”妈妈说。

那声音持续了一整夜，直到黎明前才停歇下来，萝拉熬了一夜，趴在妈妈的腿上睡着了。

她醒来时发现自己躺在床上，玛丽睡在她身边，门敞开着，已经快到中午了。妈妈正在做午餐，爸爸坐在门口。

“又一大群印第安人走过去了。”爸爸对妈妈说。

萝拉下了床，走到门边，她看到远处有很长一列印第安人，沿着小路往南面走去。爸爸说从早晨到现在，已经有三拨印第安人从这里过去了。这说明他们内部发生了争吵，他们的聚会已经散了，正在陆续离开这里。

爸爸说得没错，果然，那天晚上那种声音没有再响起来，草原上恢复了久违的宁静。

“今晚我们可以睡个好觉了！”爸爸说。

确实如此，整个晚上大家睡得都很安稳，一觉睡到了天亮。杰克整个晚上也没有再叫，安静地睡了一晚上。

第二天晚上也没有响起那种声音，他们都休息得很好。

到了第三天早上，爸爸也休息过来了，人显得格外精神，他打算到溪边去转转。爸爸把杰克拴在木屋外面，他带上枪就走了。

爸爸一直到傍晚才回来。他告诉妈妈说，他今天沿着小溪往上游走了很远一段路，然后又返回来往下游走了很远，沿途看到了很多印第安人遗弃的营地。除了奥塞奇印第安部落，其他部落的印第安人都走了。

在溪边的树林里，爸爸遇到了一个能用英语跟他沟通的印第安人。他向这个印第安人了解前几天发生的事情。那个印第安人告诉他说，所有的印第安部落都同意把这里的白人通通杀死，只有奥塞奇部落坚决反对。正当那些印第安部落准备动手的时候，有一个印第安人骑着快马冲进帕瓦仪式的现场。（帕瓦仪式：北美印第安人祈求神灵消灾免病或保佑战斗、狩猎等胜利、成功而举行的仪式，通常伴有巫术、盛宴、舞蹈等。也指北美印第安人的会议。）

这名印第安人反对他们杀白人，他是奥塞奇部落的，他的名字叫索达·杜·切尼，在印第安语里的意思是“伟大的战士”。是他把整个奥塞奇部落的印第安人都说服了，使他们都反对杀白人。最后，他站出来对其他部落的印第安人说，如果他们去杀白人，奥塞奇部落的人就向他们开战。

这就是最后那天晚上，他们的声音会那样可怕的原因。当时奥塞奇部落和其他部落正在高声喊叫，互相示威。最后，那些部落不敢与勇猛的索达·杜·切尼和他的奥塞奇部落开战，所以第二天他们就全部离开了。

爸爸始终相信印第安人中也有好人，现在得到了印证。

第二十四章

印第安人走了

这天晚上，全家人又安安稳稳地睡了一个晚上，那种感觉真是棒极了。宁静的夜晚一片祥和，月亮在晴朗的夜空中慢慢穿行，只有猫头鹰偶尔发出几声叫声。

到了早晨，阳光普照着大草原，青蛙在小溪边呱呱地叫着。门敞开着，温暖的春风吹在脸上很舒服。吃过早餐，爸爸吹着口哨走出屋子，他要套上彼得和帕迪继续耕地。

这时候，爸爸的口哨声停了下来。“卡洛琳，玛丽，萝拉，你们快过来看！”

她们跑到门外，都吃了一惊，很多印第安人正在朝他们这边走来。

走在最前面的就是那个名叫索达·杜·切尼的高个子

印第安人。杰克冲着印第安人高声吼叫着，它还记得，正是这个印第安人曾用枪对准它。萝拉的心怦怦直跳，不过她知道，这个印第安人是个好人，他是奥塞奇部落的首领。

领头的印第安人离他们越来越近了，杰克在疯狂地吼叫，拼命地想挣脱锁链。爸爸一直想让杰克安静下来，可是杰克却毫不理会，继续狂吼。爸爸打了杰克一下，命令道："躺下来，不许叫！"杰克蜷缩着身子，委屈地躺在了地上。萝拉还从来没有见爸爸打过杰克。

那个印第安首领已经快走到他们跟前了，萝拉的心跳得越来越厉害。他的鹿皮靴上缀满了珠子，腿上绑着绑腿，上面缀有流苏，上身披着一条鲜艳的毯子，红褐色的手臂露在外面，手上握着一支步枪，横放在身前。他有一张凶猛而宁静的红褐色脸庞，看上去没有任何表情，似乎不管发生任何事，都能保持镇静。他的眼睛坚定地注视着前方，一眨都不眨。他骑在矮种马上，全身一动也不动，只有头顶上的羽毛在随风飘动。

"他就是索达·杜·切尼。"爸爸压低声音说，然后举起手来向他致意。

可是，那个印第安首领根本就没往这边看，就好像小木屋和他们根本不存在一样。

印第安首领走过去了，爸爸、妈妈、玛丽和萝拉都转

过头去，目送着那个印第安人高大、挺直的背影。紧跟着，其他骑着矮种马、拿着枪、披着毯子、剃着光头、头上插着羽毛的印第安人陆续走过来。他们一个紧跟着一个，沿着小路排成长长的队伍，他们都是勇猛的印第安战士。

萝拉对矮种马很感兴趣，它们中有黑色的，有枣红色、灰色和棕色的，有的身上带着斑点。它们走在印第安人常走的小路上，蹄子发出有节奏的嘚、嘚、嘚、嘚的声音。

“好漂亮的矮种马呀！”萝拉拍着手喊道，“看那匹身上有斑点的马。”

跟在印第安战士后面的，是印第安妇女和她们的孩子，她们都是那些印第安战士的家眷。现在，萝拉把注意力转移到他们身上了。那些大一点的印第安孩子都骑着马，腰板挺直，他们看上去还没有玛丽和萝拉大。让萝拉感到惊讶的是，他们都光着身子，一点衣服也不穿，他们的头发又黑又长又直，黑眼睛里闪烁着快活的光芒。

萝拉盯着那些印第安小孩看，他们也在看着她。萝拉突然也很想做一名印第安小孩，身上不穿衣服，骑在矮种马身上，让身体接受阳光的照射和微风的亲吻。

那些印第安女人们也都骑着矮种马，下身穿着兽皮裙子，上面缀的流苏在腿边晃荡着。她们都裹着毯子，头上没有任何饰物。她们都有一张红褐色的脸，表情温和而平静。她们中很多人都背着一个襁褓，露出婴儿的脑袋。也有一些婴儿被放在篮子里，他们的妈妈把篮子稳稳地放在马身上。

就这样，一个个印第安妇女和孩子从他们旁边走过。这时，又一个印第安女人骑着马走过来了，她的矮种马身上放着两个篮子，里面各装有一个婴儿。

萝拉盯着眼前的印第安婴儿看，他只有一个小脑袋从篮子边缘露出来，他的头发像乌鸦的羽毛一样黑，一双大眼睛像没有星星的夜晚一样黑。他在深深地看着萝拉的眼睛，萝拉也在看着他的眼睛。这时，萝拉有一种想法，她很想要一名这样的婴儿。

“爸爸，”她忍不住说道，“我想要那个印第安婴儿！”

“别胡说，萝拉！”爸爸严厉地说。

婴儿已经过去了，可是他的头又转过来，依然在望着萝拉。

“啊，我要他！我要他留下来！”萝拉哀求说，“求你了，爸爸，求求你！”

“别胡说，萝拉，”爸爸说，“谁会把自己的孩子送给别人？”

“噢，不！我就要让他留下来。”萝拉看着那个越走越远的婴儿，难过地哭了起来，她知道她再也见不到他了。

“萝拉，你怎么会提出这种要求呢?”妈妈说，“我们家里也有一个婴儿啊。”

“我就要一个长着黑头发和黑眼睛的婴儿。”萝拉抽噎着说。其实她也说不清楚为什么非想要那个印第安婴儿。

“别哭了，萝拉，”爸爸说，“好好看看那些印第安人，以后你可能就没机会看到了。”

萝拉很难过，她的眼睛里蓄满了泪水，喉咙也有些哽咽。过了一会儿，她慢慢平静下来了，她从西朝东看，一路上全都是印第安人，长长的队伍一眼望不到头。

已经是中午了，他们一直在看那些印第安人，都忘了吃午餐这回事。印第安人携家带口，带着拆下来的帐篷、锅具、篮子等物品依次从门前通过，终于，最后一个印第安人走过去了。爸爸、妈妈、玛丽和萝拉站在门口，目送着印第安人西去，直到他们最后看不见了。

印第安人都走了之后，这里显得特别寂静和空旷，大家都有种若有所失的感觉，心里头有一种淡淡的伤感。

第二十五章

被迫离开

不知道从哪天开始，整个草原都披上了绿装。风轻轻地吹拂着大草原，把春天的气息传递到各个角落。欢快的云雀歌唱着飞上蓝天，一行行野鸭和大雁往北飞去，白鹡、喧鸻、沙鹬在溪边的树林里整天叽叽喳喳叫个不停。

白天，每个人都很忙。爸爸忙着耕地，玛丽和萝拉帮着妈妈种蔬菜。妈妈用锄头在爸爸翻过的土地上挖出一个小坑，萝拉和玛丽就把蔬菜种子小心地撒进去，然后妈妈再用土把小坑盖住。他们种下了洋葱、胡萝卜、豌豆、青豆和萝卜，不久就会有新鲜的蔬菜吃了，她们都非常高兴，一直吃玉米饼和肉早就让她们腻味了。爸爸犁完地回到家里，还要帮妈妈移植秧苗。妈妈在一个扁平的盒子里装上土，往里面撒了一些卷心菜籽，放在屋子里悉心培育。妈妈勤给它浇水。为了让它充分受到光照，每天从早到晚，屋子里的阳光移到哪里，妈妈就把盒子也移到哪里。家里还有一个过圣诞节时省下的甜薯没有吃，妈妈用土把它埋在了另一个盒子里。几天之后，卷心菜种子长出了灰绿色的小秧苗，甜薯也长出了绿茎和绿叶。爸爸和妈妈小心地把盒子里的秧苗一棵棵地移出来，把它们栽种到地里事先挖好的小土坑里，然后浇水、培土、压实。爸爸和妈妈每天都要到地里看看，他们要给秧苗除草、浇水。在他们的精心培育和悉心管理下，豌豆长出了皱皱的嫩芽；洋葱冒出了尖尖角；青豆从土里钻出来，卷曲的黄色小叶茎把青豆举起来，接着青豆张开嘴，吐出两片小叶芽，小叶芽很快就舒展成了绿色的叶片。

每天早上，爸爸都会吹着口哨到地里去。他把一小袋玉米种子系在腰上，一边犁地，一边把种子撒在地垄沟里。当他下趟再犁过来时，犁出来的泥土刚好把种子盖住了。在不久的将来，这里将变成一片绿油油的玉米田。他们将吃到美味的嫩玉米棒，牲口也有饲料吃了。

一天早晨，一家人吃过早餐，玛丽和萝拉在洗餐具，她们还一边高兴地说着菜地的事儿。妈妈在整理床铺，嘴里还哼着小曲儿。这时候，她们听到爸爸在大声说话，声音很愤怒。妈妈悄悄走到门边，萝拉和玛丽也跑到门口，跟着妈妈往外看。刚下地不久的爸爸这时赶着彼得和帕迪往回走，斯科特先生、爱德华先生和爸爸正在热切地谈论着什么。

“不，斯科特！”爸爸说，“我不会留在这里，等着军队来把我赶走！要不是华盛顿的那些该死的政客说这里可以垦荒，我才不会踏进印第安人的土地！我不会等着让军队来驱赶我们，我们马上就走！”

“发生什么事了，查尔斯？”妈妈问道。

“鬼才知道！但是我们得走，我们必须马上离开这里！”爸爸说，“斯科特和爱德华说，政府要派军队把白人垦荒者统统赶出印第安人的土地。”爸爸满脸通红，眼睛里满是愤怒。萝拉吓坏了，她从来没见过爸爸发这么大的火。她贴在妈妈身边，怔怔地看着爸爸。斯科特先生要说什么，被爸爸挡了回去。“什么都别说了，斯科特，说别的都没用。如果你不想走，你就等着让军队把你抓走吧，反正我现在就走。”

爱德华先生说他也要走，他不想被人赶着离开这里。

“跟我们一起到独立镇吧。”爸爸说。

可是爱德华先生说，他想到南边找一个合适的地方定居，看来这几家邻居必须分开了。

爸爸把母牛和小牛送给了斯科特先生。“我们没办法带着它们走，”爸爸说，“斯科特，我们真舍不得失去你这个好邻居。可是我们明天一早就要离开了。”萝拉简直不相信大人的话是真的，她没有想到他们这么快就要离开这里了。直到她看到斯科特先生牵走了他们家的牛，她才明白这一切都是真的，他们一家真的要离开这里了。爱德华先生握着爸爸的手，说：“再见，查尔斯，祝你好运！”他又和妈妈握手，说：“再见了，夫人，我会永远记得您的善良和仁慈。”

然后，他又把玛丽和萝拉当作大人一样，和她们握握手，说：“再见了，孩子们。”

萝拉难过地说：“爱德华先生，我们真的不想和您分开，非常感谢您跑了那么远的路，到独立镇为我们找到了圣诞老人。”

爱德华先生眼睛里闪耀着泪花，他没有说一句话，转过身慢慢地走了。

玛丽和萝拉回到屋里，一言不发，继续洗餐具。爸爸拎着马铃薯袋子走进来。“这个给你，卡洛琳！”他说，“原本想用它们做种子，现在用不着了，好好做一顿午餐吧！”

午饭后，爸爸把篷车装好，然后开始慢慢地收拾家里的东西。忙活了半天，所有的东西都收拾好了，只等明天早晨装车了。那天晚上，大家都不怎么说话。沉默了好久，妈妈叹了口气说：“查尔斯，我们这一年都白忙活了。”可是爸爸却轻松地说：“一年算什么，以后的日子还长着呢！”

第二十六章
告别小木屋

第二天吃过早餐后，爸爸和妈妈开始往车上装东西。他们先用被褥在篷车后面铺了两张床，接着，爸爸把橱柜搬出来，放在篷车座位的下面，橱柜里装满了食物和餐具。妈妈把所有的衣服包成两个大包袱，爸爸把它们挂在篷车的篷架上。爸爸的枪支弹药也挂在篷架上。小提琴装进琴盒，放在床头，那里不容易碰坏。

妈妈把所有的炊具装进袋子里，放进篷车；爸爸把摇椅和木盆绑在篷车外面，把水桶和饲料箱挂在篷车下面。所有必需的生活用品都装上车了，只剩下犁还没有装上车，可是车上实在没有地方了，只好忍痛把它丢掉。爸爸说没关系，犁以后可以再置办。

萝拉和玛丽爬上篷车，坐在后面的床铺上，小嘉丽坐在她们中间。接着，爸爸把彼得和帕迪套上车，妈妈也坐好了。走之前，萝拉还想再看一看小木屋。小木屋静静地矗立在那里，依然很温暖、舒适，它似乎不知道主人就要走了。

出发之前，爸爸在木屋的门口站了一会儿，又走进屋看看床架、壁炉和窗户。最后，爸爸依依不舍地走出来，关好门，把门闩绳留在外面。

“如果有人路过这里，小木屋可以给他们提供遮风挡雨和歇脚休息的地方。”爸爸说。

爸爸爬上车，坐到驾驶座位上，握着缰绳，吆喝一声，彼得和帕迪就出发了。小马驹邦尼跟在妈妈身边，杰克跟在篷车后面。就这样，他们上路了。

篷车快走到溪边低地时，爸爸让马停下，他们最后一次回望他们生活了将近一年的地方。广阔的大草原上很寂静，青草在风中摇摆着，好像在向他们挥手道别；白云在高高的蓝天上浮动着，好像在给他们送行。小木屋和马厩孤零零地矗立在大草原上。

篷车走下陡坡，进入溪边低地的树林里，穿过低矮的小土丘，很快就来到了小溪边。溪水很浅，不费什么力气就过去了。篷车爬上了红土崖之间的坡地，又回到了草原上。彼得和帕迪迈着轻快的步子朝前走，发出嘚嘚嘚的清脆声音。风吹在篷车的支架上，发出尖锐的呼啸。

大家都没有说话，萝拉的内心却很兴奋。坐在篷车里旅行的奇妙之处就在于，你永远不知道明天会在哪里，也不知道未来的日子是什么样的。中午时分，爸爸把车停在一处泉水旁，他们要在这里吃点东西，休息一下，让马也休息一下。

妈妈从食物箱中拿出玉米饼和咸肉分给大家，他们坐在草地上吃着午餐，喝着甘甜的泉水。吃过午餐，休息了一会儿，他们又上路了。

篷车穿行在辽阔的大草原上，后面流下了两道长长的车辙，一直延伸到远方。青草在风中摇曳，偶尔会有一只兔子在远处掠过，有时也会看到草原鸡带着一群小鸡雏钻进草丛里。这时候，萝拉和玛丽听到爸爸在跟妈妈说："前边好像有点不大对劲。"

萝拉赶紧爬到篷车前面往外看，她只看到了一个很小的浅色的凸起物，在前面很远的地方，她看不出有什么不对劲的地方。

"哪里不对劲了？"她问爸爸。

"就是那里，"爸爸向那个凸起物点下头，"那个东西一直没有动。"

萝拉盯着那个凸起物看，随着车子不断地往前走，她渐渐看清楚了，那是一辆篷车。距离再近一些，她发现那辆篷车没有马，怪不得它停在那里不动。

走近那辆篷车时，他们看到篷车的车辕上坐着两个人，一个男人和一个女人，他们低着头坐在那里。

“怎么了，老弟，你们的马呢？”爸爸大声问道。

“马被偷走了。”那个男人回答说，“昨晚我把它们拴在篷车上，今天早上就不见了。有人夜里把马偷走了。”

“你们没有狗吗？”爸爸问。

“我们没有狗。”那个男人说。

“你们估计很难找回马了，”爸爸对那男人说，“可恶的偷马贼，真该把他们全部吊死。”

“是啊。”那男人说。

“和我们一起去独立镇吧。”爸爸说。

“不行，”那个男人说，“我们所有的东西都在篷车上，我们不能丢下不管。”

爸爸劝说他们离开这里，可是他们死活不同意。最后，爸爸只得离开他们，继续赶路。那两个人继续守着他们的篷车，孤零零地待在大草原上。

爸爸说：“他们竟然没有狗，真是太没经验了！他们也太粗心了，竟然用一根绳子来拴马！”

“查尔斯，那他们怎么办呢？”妈妈问。

“到了独立镇上，我把他们的情况告诉那里的驻军，”爸爸说，“他们会来人把他们接到镇上的。他们遇到我们算是幸运，否则的话，谁知道什么时候才能被人发现。”

那天剩下来的时间，篷车又往前走了很远，一路上没有碰到一个人。太阳快要落山了，爸爸把篷车停在一口井边。这里原来有一个小木屋，但是已经被人烧掉了，一些没有烧完的木头散落在地上。萝拉和玛丽捡了一些木头来生火。爸爸把马卸下来，打了一些井水给它们饮水，然后把它们拴在马柱上，让它们吃草。妈妈把食物箱从车上拿下来，开始做晚餐。

一切都和一年前的时候一样，爸爸、妈妈和小嘉丽坐在座椅上，玛丽和萝拉坐在篷车的车辕上，大家吃了一顿热气腾腾的晚餐。吃过晚餐后，太阳已经落山了，爸爸把马牵到饲料箱旁边，喂它们吃玉米。

把马喂饱后，爸爸在营火旁边坐下来，抽起了烟斗。妈妈让玛丽、萝拉先去睡觉，她把小嘉丽也放在她们身边。妈妈给她们盖好被子，然后也来到营火边，在爸爸身边坐了下来。

这时候，爸爸拿出小提琴拉了起来，边拉边唱着：

我来到加利福尼亚，

拿着淘金的盘子，
每当我想起家乡来，
多希望我还留在家乡。

唱完这首歌，爸爸停了下来，他对妈妈说：“卡洛琳，我们走了，田地里的蔬菜便宜那些兔子了，那些长耳朵家伙不知道会有多高兴呢。”

“别去想它了，查尔斯。”妈妈说。

“是啊，走了就走了，”爸爸说，“不管怎么说，我们离开的时候比来的时候的东西多。”

“我不明白你的意思。”妈妈有点困惑。

爸爸说：“嗨，别忘了，我们现在多了一匹小马驹呢！”

妈妈笑了起来。

这时，爸爸又拉起了小提琴，唱起了歌：

我要扎根迪克西，
永不离开迪克西，
走啊，走啊，走啊走，
走到南方的迪克西！

萝拉听着爸爸拉小提琴、唱歌，玛丽和小嘉丽都睡着了，可是萝拉没有一点睡意。她听到杰克正在篷车底下给自己准备睡觉的窝：它在地上打滚，把草压倒，扒出一个窝来，然后舒服地躺在窝里，满意地长出了一口气。

星光璀璨的夜空下，全家人又一次在野外过夜，篷车又一次成了他们的家。

一曲拉完，爸爸换了一支轻柔、缓慢的曲子，就像催眠曲一样伴随着大家入睡。萝拉的眼睛慢慢地合上了，爸爸的歌声伴随着她进入了梦乡：

轻轻地划吧，
推开一层层波浪。
我们的独木舟，
像羽毛一样漂在水面上。
轻轻地划吧，亲爱的，
我愿日日夜夜陪伴你。